PREPARACIÓ
AL DIPLOMA DE ESPAÑOL

Nivel A2

Mónica García-Viñó Sánchez

1.ª edición: 2018
2.ª impresión: 2019

Dirección y coordinación editorial: Departamento de Edición de Edelsa.
Diseño de cubierta: Departamento de Imagen de Edelsa.
Diseño y maquetación interior: Carolina García.

ISBN: 978-84-9081-693-6
Depósito legal: M-37841-2018

Impreso en España / *Printed in Spain*

Fuentes, créditos y agradecimientos:
www.photos.com/es.
Rosie Doran: pág 123.
Archivo de Edelsa Grupo Didascalia, S.A.

Nota: La editorial Edelsa ha solicitado todos los permisos de reproducción correspondientes y da las gracias a quienes han prestado su colaboración.

ÍNDICE

INSTRUCCIONES GENERALES

Los Diplomas de Español como Lengua Extranjera (DELE) son títulos oficiales, acreditativos del grado de competencia y dominio del idioma español, que otorga el Instituto Cervantes en nombre del Ministerio de Educación y Ciencia de España. El Instituto Cervantes, a su vez, es miembro de ALTE (Association of Language Testers in Europe).
El **Diploma de Español Nivel A2** acredita que el candidato es capaz de comprender frases y expresiones cotidianas de uso frecuente relacionadas con áreas de experiencia que le son especialmente relevantes (información básica sobre sí mismo y su familia, compras, lugares de interés, ocupaciones, etc.).

Objetivos globales a los que deben responder los candidatos en el nivel A2:

El alumno podrá llevar a cabo transacciones básicas relacionadas con necesidades inmediatas. Los alumnos que alcanzan este nivel:

- disponen de un repertorio limitado de recursos lingüísticos y no lingüísticos sencillos, así como conocimientos generales sobre convenciones sociales del mundo hispano;
- se comunican de forma comprensible y clara utilizando sus habilidades y destrezas para compensar su dificultad en la conversación;
- se desenvuelven en situaciones cotidianas básicas: pedir y dar información en diferentes lugares públicos.

También podrán participar en interacciones sociales dentro de la esfera social más próxima, de este modo:

- utilizan apropiadamente convenciones sociales básicas: normas de cortesía, fórmulas cotidianas de saludo y tratamiento, etc.
- emplean adecuadamente fórmulas para iniciar, mantener y terminar una conversación, así como llamar la atención de su interlocutor.
- son capaces de enfrentarse a textos breves (folletos, formularios, avisos, etc.), así como textos emitidos por los medios de comunicación, siempre que no existan graves distorsiones de sonido.

(Fuente: *Plan curricular del Instituto Cervantes. Niveles de referencia para el español A1-A2;* Madrid; Edelsa; 2006, 2007).

PARA EL EXAMEN

Como candidato a este examen, deberás presentarte a las pruebas con lo siguiente:

- **Copia de la hoja de inscripción,** sellada por el centro de examen y la convocatoria oficial del examen que te ha enviado tu centro de examen.
- **Pasaporte o documento** de identificación original con fotografía utilizado en la inscripción.
- **Bolígrafo** o similar que escriba con tinta y **lápiz del número 2**.
- **Las cuatro últimas cifras del código de inscripción,** ya que tienes que anotarlas en cada hoja de respuestas.

Es muy importante ser puntual.

ANTES DE CADA PRUEBA

Tienes que completar los datos de identificación y el código en las **hojas de respuestas** 1, 2, 3 y 4. Para ello sigue estas instrucciones:

1. Escribe con bolígrafo el nombre y los apellidos, el centro de examen, la ciudad y el país donde te examinas.
2. Completa con lápiz las cuatro últimas cifras del código de inscripción. Este código se pone dos veces, una con número y otra sombreando las casillas. Hay que sombrear toda la casilla.

Ejemplos incorrectos:

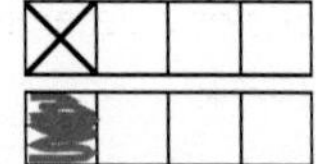

La hoja correspondiente a la prueba n.º 5 la rellena uno de los examinadores, el evaluador.

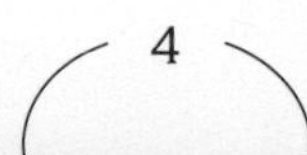

PRUEBA N.º 1 **Comprensión de lectura.** (60 minutos)

Tarea 1: Diez textos cortos y siete enunciados. Hay que **relacionar** cada enunciado con un texto.

Tarea 2: Una **carta** o **correo** electrónico con **cinco preguntas de opción múltiple.**

Tarea 3: Seis anuncios con una **pregunta de opción múltiple** cada uno.

Tarea 4: Diez textos sobre un mismo tema que hay que relacionar con **siete enunciados.**

Tarea 5: Una **noticia** con **seis preguntas de opción múltiple.**

PRUEBA N.º 2 **Comprensión auditiva.** (35 minutos)

Tarea 1: Siete anuncios de radio. Cada uno de ellos tiene **una pregunta de opción múltiple.**

Tarea 2: Una **noticia de radio** y **seis preguntas de opción múltiple.**

Tarea 3: Siete mensajes de megafonía o mensajes de **contestador automático** y **diez enunciados.** Hay que relacionar cada mensaje con su enunciado correspondiente.

Tarea 4: Una **conversación telefónica** sobre cuestiones prácticas con **seis preguntas de opción múltiple.**

Tarea 5: Un **diálogo informal** sobre temas cotidianos y **ocho imágenes** que hay que relacionar con **cinco enunciados.** Hay tres imágenes que no corresponden a ningún enunciado.

PRUEBA N.º 3 **Expresión e interacción escritas.** (50 minutos)

Tarea 1: Escribir un **texto** (entre 30 y 40 palabras) **sobre temas básicos**: hacer reservas, pedir información, describir lugares y objetos, etc.

Tarea 2: Escribir **correos electrónicos, postales, notas** o **cartas** (entre 70 y 80 palabras) intercambiando información personal según un contexto cuyo contenido hay que desarrollar.

Tarea 3: Redactar un **texto de descriptivo** o **narrativo** (entre 70 y 80 palabras) a partir de unas instrucciones y unas imágenes.

PRUEBA N.º 4 **Expresión e interacción orales.** (15 minutos aproximadamente)

Tarea 1: Monólogo. Durante 3 o 4 minutos tienes que hablar sobre una de las opciones que se te dan.

Tarea 2: Descripción. Durante 2 o 3 minutos tienes que describir detalladamente la foto que ves: el lugar, las personas que aparecen, la ropa u objetos que llevan, de qué pueden estar hablando, etc.

Tarea 3: Entrevista. Según la foto y el contexto de la Tarea 2, aquí hay que dialogar con el examinador durante 2 o 3 minutos sobre lo que puede suceder en el lugar de la foto.

Tarea 4: Conversación. Esta tarea consiste en una conversación informal con el examinador de 3 o 4 minutos sobre un tema de la vida diaria. Hay dos fichas y tú tienes que desempeñar el papel que hay en la tuya. El examinador toma la postura contraria.

Ojo: Para la prueba de Expresión e interacción orales tienes 15 minutos adicionales de preparación antes de la entrevista. Puedes tomar notas o apuntar ideas, pero después no puedes leerlas, solo consultarlas.

Importante: Se requiere la calificación de *apto* en cada uno de los dos grupos de pruebas en la misma convocatoria de examen.
Grupo 1: Comprensión de lectura y Expresión e interacción escritas.
Grupo 2: Comprensión auditiva y Expresión e interacción orales.
Cada grupo se puntúa sobre 50. La puntuación mínima para resultar apto es de 30 puntos.

Te recomendamos que visites la dirección oficial de los exámenes **http://diplomas.cervantes.es** donde encontrarás fechas y lugares de examen, precios de convocatorias, modelos de examen y demás información práctica y útil para que tengas una idea más clara y precisa de todo lo relacionado con los exámenes.

examen 1

LAS PERSONAS Y LA VIVIENDA

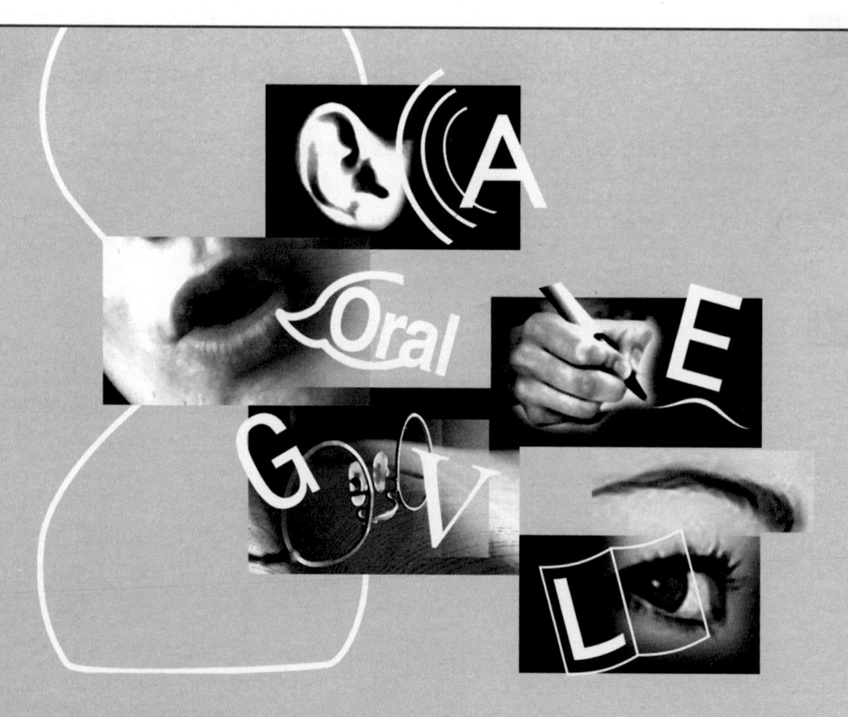

Te recomendamos este libro para ampliar el vocabulario del español de España y variantes de México y Argentina.

VOCABULARIO

FICHA DE AYUDA
para la Expresión e interacción escritas
y la Expresión e interacción orales

RELACIONES PERSONALES

Compañero/a (el, la)	partner
Hermano/a gemelo/a (el, la)	brother/sister twin
Hijo/a único/a (el, la)	son/daughter only
Novio/a (el, la)	boyfriend/girlfriend
Pareja (la)	partner
Portero/a (el, la)	keeper
Propietario/a (el, la)	owner
Vecino/a (el, la)	neighbour

DESCRIPCIÓN FÍSICA

Calvo/a	bald
Ojos (los)	eyes
- azules/verdes/marrones	blue/green/brown
- grandes/pequeños	big/small
Pelo (el)	hair
- corto ≠ largo	short/long
- liso ≠ rizado	smooth/curly

CARÁCTER Y PERSONALIDAD

Abierto/a	open
Alegre	cheerful
Amable	nice
Antipático/a	unfriendly
Egoísta	selfish
Generoso/a	generous
Nervioso/a	nervous
Reservado/a	reserved
Romántico/a	romantic
Serio/a	serious
Sociable	sociable
Tímido/a	shy
Tolerante	tolerant
Tranquilo/a	quiet

ETAPAS DE LA VIDA

Adolescente (el, la)	teenager
Anciano/a (el, la)	old man
Bebé (el)	baby
Niño/a (el, la)	little boy/girl

VERBOS

Apellidarse	last name
Casarse	to marry
Divorciarse	to divorce
Llevar/Tener	to wear / to have
- gorra/pañuelo	cap/ handkerchief
Morir	to die
Nacer	to be born
Presentarse	introduce oneself
Separarse	break away

LA VIVIENDA

Bañera (la)	bathtub
Cocina (la)	kitchen
- eléctrica	electric
- de gas	gas
Dormitorio (el)	bedroom
- de matrimonio	double
- de invitados	guest
Edificio (el)	building
Escalera (la)	stairs
Lavadora (la)	washing machine
Lavaplatos (el)	dishwasher
Microondas (el)	microwave
Nevera (la)	fridge
Pared (la)	wall
Pasillo (el)	hall
Piso (el)	floor/apartment
- de estudiantes	student
- de *x* habitaciones	of x rooms
- amueblado/sin amueblar	with/out furnished
- en buen/mal estado	good/bad condition
Suelo (el)	ground
Techo (el)	cieling

VERBOS

Alquilar	rent
Amueblar	furnish
Buscar	look for
- piso	floor
- alojamiento	find accommodation
Cambiarse de casa	move home
Compartir piso	share a flat
Dejar	leave
- una nota/un mensaje/un recado	note/message/
Enviar/Recibir/Responder	send/recieve/answer
- una postal/una invitación	post/invitation
Hacer una fiesta	have a party
Invitar	invite
Lavar	to wash
- los platos/la ropa	dishes/clothes
Lavarse	wash up
Limpiar la casa	clean the house
Regalar	give away
Ser	to be
- de madera/de cristal	wood/crystal
Tener	to have
- una cita/una fiesta	a date/a party
Visitar	to visit

PRUEBA 1

Comprensión de lectura

Tiempo disponible para toda la prueba.

TAREA 1

A continuación va a leer ocho enunciados (incluido el ejemplo) y diez textos. Después, seleccione el texto, a)-j), que corresponde a cada enunciado, 1-7. Tiene que seleccionar siete textos.

	ENUNCIADOS	TEXTO
0.	Está en la segunda planta.	a)
1.	Es en otro lugar.	
2.	Buscan compañera de piso.	
3.	Hay que subir por la escalera.	
4.	Solo están por las tardes.	
5.	La primera vez no hay que pagar.	
6.	Busca amigos.	
7.	Puede trabajar toda la semana.	

TEXTOS

a)

NOTA PARA LOS VECINOS

He encontrado una gorra pequeña, de bebé, en la puerta principal del edificio. Es azul con dibujos rojos. Pueden recogerla en el apartamento 4 (piso 2º). Magda.

b)

AVISO A TODOS LOS VECINOS

El próximo lunes va a pasar un camión del Ayuntamiento para recoger muebles y electrodomésticos viejos.
Hagan el favor de dejarlos junto a los cubos de basura, a la derecha del portal. Gracias.

El presidente

c)

ANUNCIOS 11

Amplio piso para compartir
Tres dormitorios, cuarto de baño, cocina. Gran terraza. Cerca de la universidad. Bien comunicado.
Buscamos chica no fumadora para compartir piso con otras dos estudiantes. Julia, 696257843.

d)

¡Hola! Soy nuevo en la ciudad y quiero conocer chicos y chicas para salir y relacionarme. Soy estudiante de Historia, tengo veinte años y me gusta el cine, la fotografía y el deporte.
Juan (657890432) o juanitops@yahoo.es

e)

GABINETE DE PSICOLOGÍA SOLUCIONES FÁCILES

- Especialistas en psicología infantil y de adolescente.
- Problemas de comportamiento y relaciones sociales.
- Problemas de atención en los estudios.

Horario: 16:00 h a 20:00 h (de lunes a viernes)
Cita previa: 967818283 / 967818284

f)

AVISO A LOS VECINOS DE LOS PORTALES 4 Y 6

La reunión extraordinaria de vecinos del próximo lunes 4 de junio va a ser en el nuevo local de la comunidad.
1ª convocatoria: 20:00 y 2ª convocatoria: 20:30.
Por favor, comuniquen a su portero qué hora prefieren.
Gracias.

El presidente

g)

J. PUIG, M. PULIDO Y R. SEBASTIÁN

Abogados matrimonialistas

· Asesoramiento jurídico
· Divorcios y separaciones
· Redacción de documentos

Solicite cita previa en el 91 395 20 90
Primera consulta gratuita

h)

ANUNCIOS 11

Se alquila apartamento de un dormitorio, cocina y baño completo en edificio antiguo completamente renovado. Exterior, mucha luz, bonitas vistas.
5.º piso (sin ascensor).
Interesados escribir a ernestina35@yahoo.es

i)

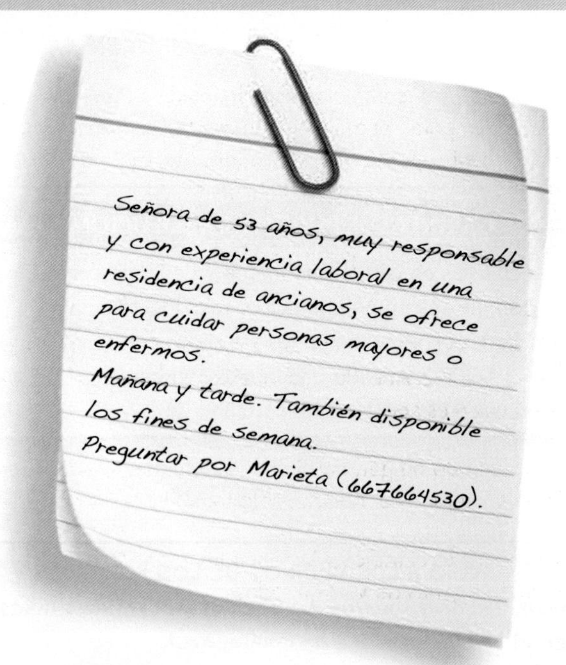

j)

Vendo colección completa con CD de la revista Pareja Ideal (165 números) en muy buen estado.

Precio 150 € más gastos de envío.

Escribir a josele@hotmail.com

TAREA 2

A continuación va a leer el correo electrónico que Roxana ha escrito a Roberto. Después, conteste las preguntas, 8-12, marcando la opción correcta, a), b) o c), para cada una.

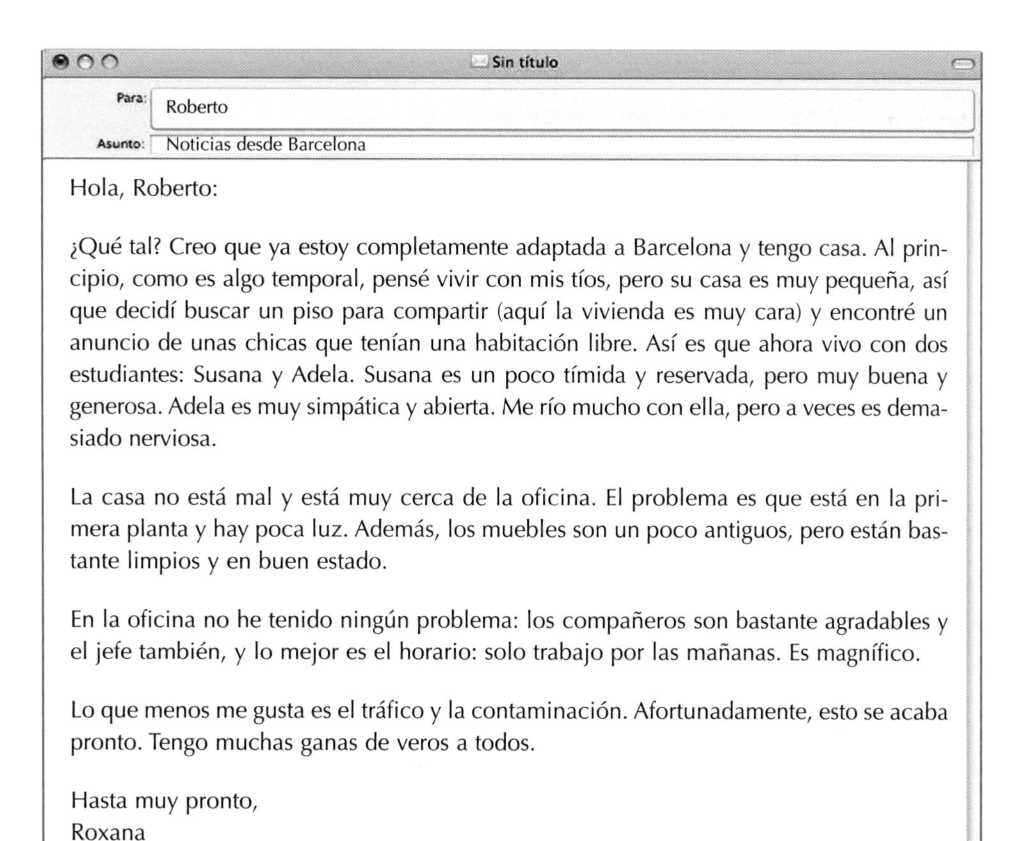

Sin título

Para: Roberto

Asunto: Noticias desde Barcelona

Hola, Roberto:

¿Qué tal? Creo que ya estoy completamente adaptada a Barcelona y tengo casa. Al principio, como es algo temporal, pensé vivir con mis tíos, pero su casa es muy pequeña, así que decidí buscar un piso para compartir (aquí la vivienda es muy cara) y encontré un anuncio de unas chicas que tenían una habitación libre. Así es que ahora vivo con dos estudiantes: Susana y Adela. Susana es un poco tímida y reservada, pero muy buena y generosa. Adela es muy simpática y abierta. Me río mucho con ella, pero a veces es demasiado nerviosa.

La casa no está mal y está muy cerca de la oficina. El problema es que está en la primera planta y hay poca luz. Además, los muebles son un poco antiguos, pero están bastante limpios y en buen estado.

En la oficina no he tenido ningún problema: los compañeros son bastante agradables y el jefe también, y lo mejor es el horario: solo trabajo por las mañanas. Es magnífico.

Lo que menos me gusta es el tráfico y la contaminación. Afortunadamente, esto se acaba pronto. Tengo muchas ganas de veros a todos.

Hasta muy pronto,
Roxana

PREGUNTAS

8. Roxana está ahora en Barcelona:
- **a)** Por motivos de trabajo.
- **b)** A causa de los estudios.
- **c)** Por razones familiares.

9. Roxana:
- **a)** Piensa estar mucho tiempo en Barcelona.
- **b)** Va a estar poco tiempo en Barcelona.
- **c)** No sabe cuánto tiempo va a estar en Barcelona.

10. Según Roxana, Susana es:
- **a)** Poco sociable.
- **b)** Bastante egoísta.
- **c)** Un poco antipática.

11. Roxana dice que Adela es:
- **a)** Muy seria.
- **b)** Divertida.
- **c)** Demasiado tranquila.

12. La casa de Roxana:
- **a)** Está en un piso alto.
- **b)** Tiene muebles viejos.
- **c)** No está amueblada.

TAREA 3

A continuación va a leer seis anuncios y una pregunta sobre cada uno de ellos. Después, responda las preguntas, 13-18, marcando la opción correcta, a), b) o c), para cada una.

Texto 1

Celebra el cumpleaños de tu hijo en la Sala Colorines

El Pack Cumpleaños incluye:

- Sala de cumpleaños (tiempo aproximado de estancia en la sala: 45 minutos).
- Merienda infantil (posibilidad de merienda especial para niños con alergias o intolerancias alimenticias).
- Regalo recuerdo del cumpleaños para todos los invitados.
- Dos entradas de adulto gratuitas.

(Se necesita un mínimo de 10 niños para la celebración del cumpleaños).

13. En Colorines:

a) Celebran diez cumpleaños al mismo tiempo.
b) Preparan comida especial para niños con problemas de salud.
c) Hacen un regalo especial al niño que cumple años.

Texto 2

Se acerca el Día del Padre. ¿Qué vas a regalarle?
¿Otra corbata o prefieres un regalo original y personalizado?

A todo el mundo le interesa saber qué cosas importantes pasaron el día que nació y qué mejor regalo que un periódico real del primer día de su vida.
Todos nuestros periódicos tienen un certificado de autenticidad y, si quieres una mejor presentación, tenemos bonitas carpetas especiales.

Estamos en paseo del Pinar, 7, 28029 Madrid.

14. En este anuncio proponen regalar a los padres:

a) Un periódico del día en que nació.
b) Un periódico con noticias importantes.
c) Una corbata original.

Texto 3

El gabinete de psicología Almagro cuenta con un equipo de profesionales, licenciados por la Universidad Autónoma, con gran experiencia en todo tipo de terapias para niños, adolescentes y adultos. Nuestros psicólogos, a través de eficaces métodos, logran unos resultados rápidos en pocas sesiones.

- Consulta individual o de parejas.
- Primera sesión (una hora) gratuita.

15. Los psicólogos de este gabinete:

a) Trabajan con personas de todas las edades.
b) Consiguen eficaces resultados en una hora.
c) Son también profesores en la universidad.

Texto 4

Electroespaña, cadena especializada en electrodomésticos, con establecimientos en toda España abre en Palencia su tienda número 1000 y para celebrarlo le regala un horno microondas por la compra, en cualquiera de sus tiendas, de una lavadora Frión.

Oferta hasta fin de existencias (2000 unidades).

Reserve ya su lavadora en su tienda más cercana o en nuestra página web (www.electroespana.es).

16. Esta oferta es:

a) Si se compra en la tienda de Palencia.
b) Para los primeros dos mil compradores.
c) Si se reserva por Internet.

Texto 5

Servihogar 24 Empresa especializada en servicio doméstico de calidad:

- niñeras.
- cuidadores de personas mayores o enfermos.
- empleados del hogar internos o externos.
- cocineros, chóferes particulares, jardineros.

Tenemos a su disposición los currículos y las referencias de todos nuestros candidatos que, además, han recibido cursos de formación específicos.
Más información en www.servihogar24.com

17. Servihogar 24:

a) Da cursos de formación a gente que quiere trabajar.
b) Busca empleados domésticos.
c) Ofrece servicio de personal doméstico.

Texto 6

El hotel **Herencia** cuida cada detalle y te ofrece un día inolvidable en uno de sus emblemáticos salones:
Salón San Valentín

El precio incluye: Carta de platos para elaborar vuestro propio menú - Menú especial infantil - Decoración floral - Noche de bodas en el hotel con desayuno incluido - Baile
Otros servicios: música, fotografía, servicio de canguro.
Capacidad de hasta 400 invitados. ¡Venga a visitarnos!

18. En este salón:

a) Pueden comer más de cuatrocientos invitados.
b) Los niños comen lo mismo que los adultos.
c) Tienen personal para cuidar a los niños durante la fiesta.

TAREA 4

A continuación va a leer diez textos de una página de anuncios de viviendas y siete enunciados. Después, seleccione el enunciado, 19-24, que corresponde a cada texto, a)-j). Tiene que seleccionar seis textos.

	ENUNCIADOS	TEXTO
0.	No hay que subir escaleras.	a)
19.	Hay sitio para aparcar dos coches.	
20.	Hay muchas tiendas cerca.	
21.	Está bien comunicado.	
22.	Tiene muchos electrodomésticos.	
23.	Tiene dos pisos.	
24.	Tiene mucha luz.	

ANUNCIOS 11

a) **CARABANCHEL ALTO**. Vendo piso bajo recién reformado. 60 m², 3 dormitorios, salón-comedor, cocina amueblada y baño completo. Ventanas dobles. Jardín comunitario.
Preguntar por Paco, 916759890 (tardes). No agencias.

b) **INMOCASA** vende ático céntrico. Salón de 70 m² con suelo de parqué. Exterior. Grandes ventanas dobles. Calefacción central. Poca comunidad. Interesados llamar a Srta. López. 619676780. Horario comercial.

c) **PRÍNCIPE DE VERGARA**. Vendo piso de 50 m², 1.ª planta. Necesita reforma. 2 amplios dormitorios, salón-comedor, cocina independiente, calefacción y agua caliente individual de gas. Portero. Junto a metro y parada de autobús. Enrique, 696785000.

d) **VENDO** piso en Pozuelo de Alarcón. Urbanización privada. 130 m², 1.er piso. 3 dormitorios, 2 baños (uno en dormitorio principal). Terraza. Piscina comunitaria. Dos plazas de garaje. Negociables. Enviar mensaje a lusanchez@yahoo.es.

e) **INMOPLAYA** vende apartamento en Torrealta. Junto al restaurante Las Gaviotas. 20 min. de la playa. Excelente acabado. 2 baños con suelo de mármol. Tres dormitorios. Amplia terraza.
Tel.: 969010203. Horario: 10:00 h a 14:20 h y 17:00 h a 21:00 h.

f) **MADRID CAPITAL**, Moncloa, 70 m², 2 habitaciones, 1 baño, salón independiente, cocina con algunos electrodomésticos. En zona comercial con todos los servicios. 600 €/mes. Ideal para estudiantes. Llamar a Sara (665412809), ref. M-79.

ANUNCIOS 11

g) **ESTUDIO EN ZONA CENTRO**. Se vende. Edificio antiguo reformado. 30 m^2 más 20 m^2 de terraza. Cocina completamente amueblada. Baño con hidromasaje. Preciosas vistas. Interesados contactar con Alberto en el 918789121. No agencias.

h) **HABITACIÓN** en piso para compartir. Zona universidad. 4 dormitorios, 2 baños. Cocina completamente equipada (nevera, cocina eléctrica, lavadora y microondas). Internet. Comunidad incluida en el precio. Preguntar por Rocío, 686957883, o enviar mensaje a roc34@gmail.com.

i) **SE ALQUILA CHALÉ** en Villalba. Planta baja: gran salón, cocina americana, cuarto de baño y aseo. Planta alta: 4 dormitorios y 2 baños completos. Bonitas vistas. Jardín y piscina. Inmonorte, 969728270. 2 meses depósito.

j) **PARTICULAR** alquila apartamento en Nerja. Julio o agosto; también posible quincenas. Primera línea de playa. 3 dormitorios y 2 baños. Cocina americana. 15 min. del centro. Carmen, 676590890. Tardes.

TAREA 5

A continuación va a leer una noticia sobre un fenómeno actual. Después, conteste las preguntas, 25-30, marcando la opción correcta, a), b) o c), para cada una.

LEER LIBROS, ESCRIBIR CARTAS Y JUGAR EN EL PATIO YA ES HISTORIA

La idea de *cambio* significa «dejar algo viejo por algo nuevo que nos facilita una tarea». Lamentablemente hay cosas que se han perdido por la comodidad que hoy nos ofrece la tecnología.

El gran invento de finales del siglo XX fue la llegada del móvil. Pero ¿qué pasaba hace unos años cuando uno quería saber de alguien y aún no existían los móviles? Se escribía una carta. La tarea era un ritual: uno compraba el sobre, se sentaba a la mesa y escribía varias hojas a ese amigo, madre o novia que esperaba noticias. Hoy son muy pocas las cartas que se escriben. El móvil llegó y simplificó todo.

Y si de jugar hablamos, hasta los juguetes han sido víctimas de la tecnología. La Play ha convertido a los niños en seres solitarios. Se juntan a jugar, pero en su mundo virtual están ellos solos. Ahora el niño interactúa, pero con una máquina.

En los últimos años, han aparecido en las consultas de los psicólogos problemas relacionados con el abuso de las nuevas tecnologías: móviles, chats, videojuegos. Estos últimos tienen un gran poder de atracción para los jóvenes, si no se hace de ellos un uso adecuado, pueden causar problemas de aislamiento, dolores de cabeza, vista cansada, y agresividad.

Por otro lado, las librerías cada vez venden menos. Antes uno disfrutaba buscando un libro, se ponía cómodo y empezaba a leer. En casa no faltaban los atlas, los diccionarios y las enciclopedias. Sin embargo, ahora, con solo un clic se pueden encontrar los más variados libros virtuales en poco tiempo, y es que usar Internet es algo habitual para los estudiantes de hoy, pero no siempre fue así. Hace no muchos años, las personas consultaban libros en la biblioteca. Había que formar grupos de estudio y los trabajos prácticos se hacían a mano. Nuestros padres escribían correctamente y con buena letra. Internet ha simplificado muchas cosas, es verdad, pero ahora los jóvenes no saben escribir.

Otro fenómeno que no podemos olvidar son los amigos virtuales. Sitios como My Space, Twitter, Facebook, blogs y chats permiten relacionarse con gente que uno nunca en la vida ha visto ni va a ver. Podemos tener conocidos en Alaska o en Australia. Se sociabiliza de otra forma. Ya no hay que salir a la calle a buscar pareja. Muchas se han formado a través del chat y desde casa. Esto es otra historia.

Adaptado de www.diariojornada.com.ar

PREGUNTAS

25. La idea principal de este texto es que:
- **a)** Ahora la vida es mejor gracias a la tecnología.
- **b)** La tecnología ha cambiado muchos hábitos.
- **c)** La gente no se acostumbra a la tecnología.

26. Según el texto, antes del móvil la gente:
- **a)** No podía comunicarse.
- **b)** No sabía mucho de otras personas.
- **c)** Se comunicaba por escrito.

27. En el texto se dice que las nuevas tecnologías:
- **a)** Han terminado con los juegos.
- **b)** Son buenas para los niños.
- **c)** Pueden producir problemas psicológicos.

28. En la actualidad:
- **a)** Se compran muchos libros por Internet.
- **b)** La gente ya no lee.
- **c)** Es fácil buscar libros a través de Internet.

29. El texto dice que ahora los estudiantes:
- **a)** Escriben peor que antes.
- **b)** Prefieren jugar y no estudiar.
- **c)** Van mucho a las bibliotecas.

30. En la actualidad, algunas personas:
- **a)** Encuentran novio o novia por Internet.
- **b)** Van a Australia o Alaska para hacer amigos.
- **c)** Tienen más amigos que antes.

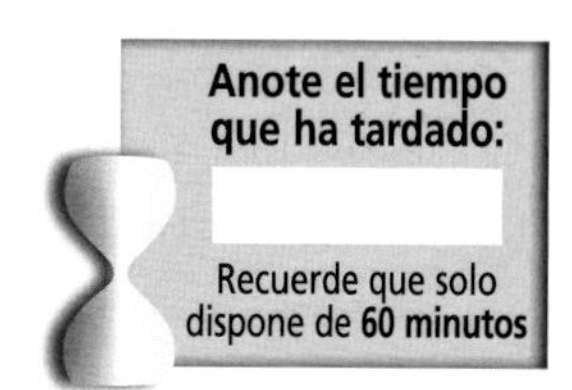

PRUEBA 2

TAREA 1

CD I

A continuación escuchará siete anuncios de radio. Oirá los anuncios dos veces. Después, marque la opción correcta, a), b) o c), para cada pregunta, 1-7.

PREGUNTAS

1. Esta agencia te ayuda a encontrar:
- **a)** El trabajo que necesitas.
- **b)** Nuevos amigos.
- **c)** El amor que buscas.

2. Si se celebra la boda en este hotel:
- **a)** Los cien primeros invitados no pagan por aparcar el coche.
- **b)** Solo se puede invitar a cien personas como máximo.
- **c)** La tarta es gratis si se invita a más de cien personas.

3. El número especial de esta revista:
- **a)** Está pensado para expertos en psicología.
- **b)** No se puede comprar todavía.
- **c)** Da consejos a los adolescentes en sus estudios.

4. Este anuncio trata sobre:
- **a)** Un nuevo libro de arte.
- **b)** Un libro de psicología.
- **c)** Una novela de amor.

5. Según este anuncio, en el zoológico:
- **a)** El mejor regalo de cumpleaños es un animal.
- **b)** Se pueden comprar tarjetas con fotos de animales.
- **c)** Los niños pueden hacer su fiesta de cumpleaños.

6. Este libro es una guía especial:
- **a)** Solo para madres.
- **b)** Para personas que van a tener un bebé.
- **c)** Para médicos especialistas en niños.

7. En este anuncio se habla de:
- **a)** Nuevos estilos de decoración.
- **b)** Una nueva tienda de muebles.
- **c)** Ofertas especiales en muebles.

CD I

TAREA 2

A continuación escuchará una noticia de radio sobre dos personas. Oirá la noticia dos veces. Después, marque la opción correcta, a), b) o c), para cada pregunta, 8-13.

PREGUNTAS

8. Esta noticia habla de:
- **a)** Un viaje a Argentina.
- **b)** Una historia de amor.
- **c)** Una nueva computadora.

9. Los protagonistas de esta noticia:
- **a)** Son marido y mujer desde el año pasado.
- **b)** No saben cuándo van a conocerse personalmente.
- **c)** Van a conocerse personalmente hoy.

10. Silvana:
- **a)** Era una alumna de Jesús.
- **b)** Era profesora de Jesús.
- **c)** Tiene la misma profesión que Jesús.

11. Silvana y Jesús empezaron a chatear:
- **a)** Hace tres años.
- **b)** El 20 de julio.
- **c)** Hace un año.

12. Jesús piensa que por chat:
- **a)** Es más fácil comunicarse.
- **b)** Es difícil comunicarse.
- **c)** No se puede conocer a la gente.

13. Silvana:
- **a)** Tiene muchos hermanos.
- **b)** Vive con su madre.
- **c)** No tiene hermanos.

CD I

TAREA 3

A continuación escuchará siete mensajes. Oirá cada mensaje dos veces. Después, seleccione el enunciado, a)-j), que corresponde a cada mensaje, 14-19. Hay diez enunciados. Tiene que seleccionar seis.

	MENSAJES	ENUNCIADO
0.	Mensaje 1	a)
14.	Mensaje 2	
15.	Mensaje 3	
16.	Mensaje 4	
17.	Mensaje 5	
18.	Mensaje 6	
19.	Mensaje 7	

	ENUNCIADOS
a)	Alguien lo ha comprado.
b)	Tiene que pensarlo.
c)	Hay un problema con la dirección.
d)	Quiere compartir casa.
e)	Necesita hacer un regalo.
f)	No es importante.
g)	Tiene que poner otra cita.
h)	Pueden ir juntas.
i)	Pide un favor.
j)	No puede ayudarle.

CD I

TAREA 4

Pista 16

A continuación escuchará una conversación telefónica entre un empleado de una agencia inmobiliaria y una señora. Oirá la conversación dos veces. Después, seleccione la opción correcta, a), b) o c), para cada pregunta, 20-25.

PREGUNTAS

20. La señora necesita una casa:
- **a)** Céntrica y bien comunicada.
- **b)** Con más de tres dormitorios.
- **c)** Tranquila y pequeña.

21. La mujer va a vivir en esa casa:
- **a)** Sola con sus hijos.
- **b)** Con su madre.
- **c)** Con su marido y sus hijos.

22. Desde las ventanas del salón del chalé de Villapradillo se ve:

a)

b)

c)

23. El problema del chalé de Miranieve es que:
- **a)** Solo tiene dos dormitorios.
- **b)** Está mal comunicado.
- **c)** Los dormitorios son pequeños.

24. El marido de la señora:
- **a)** Estudia en casa.
- **b)** Trabaja lejos de casa.
- **c)** Necesita un despacho.

25. Al final la señora dice que:
- **a)** Quiere saber la opinión de su marido.
- **b)** A su marido no le va a gustar la vivienda.
- **c)** No está interesada en un piso.

TAREA 5

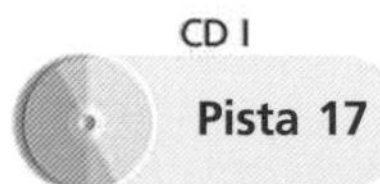

A continuación escuchará una conversación entre dos amigos. Oirá la conversación dos veces. Después, seleccione la imagen, a)-h), que corresponde a cada enunciado, 26-30. Tiene que seleccionar cinco imágenes.

	ENUNCIADOS	IMAGEN
26.	Cómo conoció Ángel a su mujer.	
27.	La casa actual de Ángel.	
28.	Medio de transporte para ir a la casa del señor.	
29.	Dónde trabajan Isabel y su marido.	
30.	Lo que hacen Isabel o su marido el sábado por la tarde.	

a)

b)

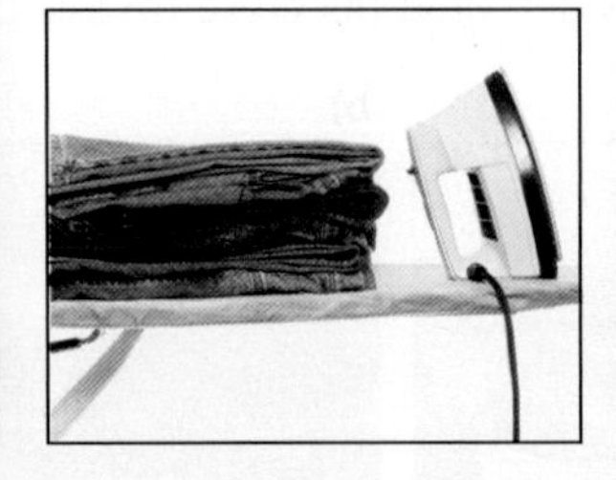
c)

d)

e)

f)

g)

h)

Sugerencias para los textos orales y escritos

APUNTES DE GRAMÁTICA

- Usamos el verbo *ser* para:
  - describir el físico y el carácter de una persona: *Ana es alta y muy simpática.*
  - describir objetos, lugares, etc.: *El piso es nuevo.*
- Usamos el verbo *estar* para:
  - hablar de la ubicación: *Su casa está en el centro de la ciudad.*
- Usamos el pretérito perfecto simple para:
  - hablar de los momentos más importantes de la vida de una persona: *Se casaron en 2008.*
- Usamos el pretérito imperfecto para:
  - describir a una persona: *Juan era muy simpático y trabajador.*
- Para hablar de las relaciones de parentesco usamos los posesivos: *María es mi hermana.*
- Para hablar del estado civil usamos *ser* o *estar*: *Raquel y Pedro están casados. María es viuda.*

DAR INFORMACIÓN PERSONAL

- □ *Mi nombre es/Me llamo/Soy...*
- □ Mis apellidos son...
- □ *Soy español/Soy de...*
- □ Soy técnico informático.
- □ *Vivo en.../Mi dirección es...*
- □ Mi *dirección de correo electrónico/ teléfono* es...
- □ Tengo ... años.

DESCRIBIR UNA VIVIENDA

- □ *Busco/quiero* una casa
  - *grande/pequeña,* con garaje, piscina, ascensor.
  - en el centro, cerca del centro.
  - bien comunicada, exterior.
  - con *dos/tres habitaciones/baños.*

PEDIR INFORMACIÓN

- □ Personas: ¿Con quién...? ¿De quién es...?
- □ Cosas: ¿*Qué/Cuál*...? ¿Qué *tipo/clase* de...?
- □ Tiempo: ¿Qué fechas...? ¿Cuándo...?
- □ Modo, manera: ¿Cómo...? ¿Qué tal...?

FELICITAR, AGRADECER, DISCULPARSE

- □ *Felicidades/Enhorabuena.*
- □ Muchas gracias por tu invitación.
- □ Lo siento, no puedo ir *porque.../ es que...*

PRUEBA 3

Expresión e interacción escritas

Tiempo disponible para toda la prueba.

TAREA 1

Usted va a comprar una casa. Escriba un correo electrónico a una agencia inmobiliaria para pedir información. En él debe:

- Explicar qué tipo de casa está buscando y qué características debe tener.
- Decir en qué zona la quiere.
- Preguntar si tienen una casa de esas condiciones y qué precio tiene.

Número de palabras: entre 30 y 40.

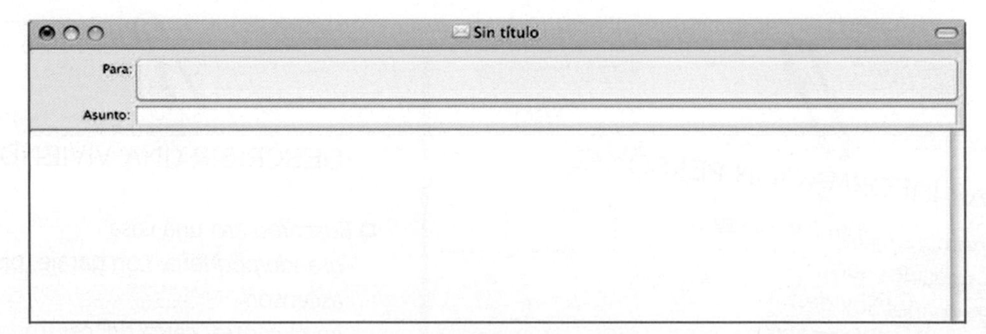

TAREA 2

Usted ha recibido una invitación para ir a la boda de una amiga. Escriba un correo electrónico a su amiga. En él debe:

- Felicitarla por su próxima boda.
- Agradecerle su invitación.
- Disculparse por no poder ir a la boda y explicarle la causa.

No olvide saludar y despedirse.
Número de palabras: entre 70 y 80.

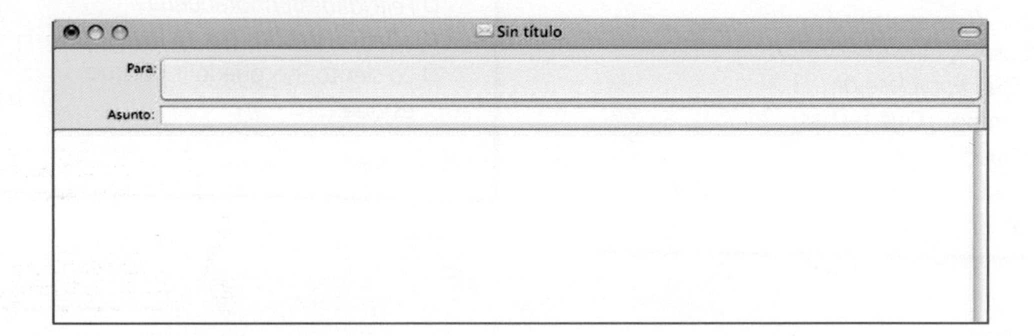

TAREA 3

Estas son las fotos de la vida de una persona. Escriba un texto para una revista. En él tiene que contar:

- Cómo se llamaba esta persona y de dónde era.
- Cómo eran ella y su familia.
- Cuáles fueron las cosas más importantes que pasaron en su vida.

Número de palabras: entre 70 y 80.

Biografía de...

....

....

....

....

Anote el tiempo que ha tardado:

Recuerde que solo dispone de **50 minutos**

PRUEBA 4

Expresión e interacción orales

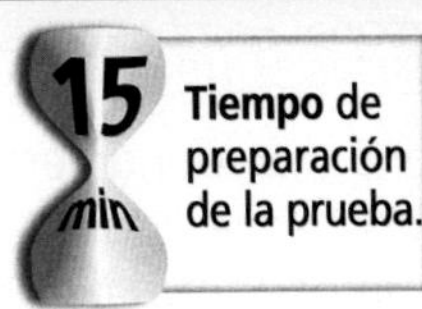

TAREA 1

EXPOSICIÓN DE UN TEMA: MONÓLOGO

Usted tiene que hablar ante el entrevistador sobre algunos tipos de familias y modos de vivir durante 3 o 4 minutos. Elija uno de los aspectos que se le proponen.

FAMILIAS Y MODOS DE VIVIR

Vivir solo

- En su país, ¿la gente soltera suele vivir sola o con sus padres? ¿Por qué?
- ¿Vive o ha vivido usted solo?
- ¿Le gusta la idea de vivir solo?
- ¿Qué ventajas e inconvenientes cree que tiene vivir solo?

Familia numerosa

- ¿Cuántos hermanos tiene?
- ¿Tiene hijos? ¿Cuántos? Si no tiene, ¿cuántos le gustaría tener?
- ¿Cuántos hijos suelen tener las familias en su país?
- ¿Cuáles son las ventajas e inconvenientes de una familia numerosa?

Vivir con los padres

- ¿Hasta qué edad es normal vivir con los padres en su país? ¿Por qué?
- ¿Es igual para chicos y chicas?
- ¿Cuáles son las ventajas e inconvenientes de vivir con los padres?

Familia pequeña

- En su país, ¿a qué edad suele casarse la gente?
- ¿A qué edad se tienen los hijos?
- ¿Cuál es el número normal de hijos por familia?
- ¿Ha sido siempre así o ha cambiado?

Compartir piso

- ¿Es normal compartir piso en su país? ¿En qué situaciones?
- ¿Alguna vez ha compartido piso con alguien? ¿Cómo fue la experiencia?
- ¿Qué aspectos positivos tiene compartir piso? ¿Y negativos?

TAREA 2

DESCRIPCIÓN DE UNA FOTO

Usted tiene que describir la siguiente fotografía durante 2 o 3 minutos.

Ejemplos de preguntas para la descripción

- ¿Quiénes son estas personas? ¿Dónde están? ¿Qué hacen?
- ¿Cómo son físicamente? ¿Cómo van vestidos?
- ¿Dónde están? ¿Cómo es el lugar? Descríbalo.
- ¿De qué cree que están hablando?
- ¿Qué cree que quieren comprar los clientes? ¿Por qué?

TAREA 3

SIMULACIÓN: DIÁLOGO CON EL ENTREVISTADOR

Imagine que usted está en una agencia inmobiliaria y quiere comprar una casa. Dialogue con el empleado de la agencia durante 2 o 3 minutos sobre las casas que hay en venta.

Modelo de conversación

1. Inicio

EXAMINADOR:
Hola, *buenos días/buenas tardes.*
CANDIDATO:
Hola...
EXAMINADOR:
¿En qué puedo ayudarlo/la?
CANDIDATO: *motivo de la visita.*
Quiero...

2. Fase de desarrollo

EXAMINADOR:
¿Qué tipo de casa le interesa? ¿Chalé, apartamento...? ¿De cuántas habitaciones?
CANDIDATO: *descripción de la casa que busca.*
...
EXAMINADOR:
¿Y dónde lo/la quiere?
CANDIDATO:
En...
EXAMINADOR: *hablar de las ofertas que hay.*
Pues en este momento tenemos varias ofertas interesantes. Por ejemplo...
CANDIDATO:
Pues me interesa...
EXAMINADOR:
¿Cuándo quiere usted ir a verlo/la?
CANDIDATO:
...

3. Despedida y cierre

EXAMINADOR:
Muy bien. Entonces el sábado...
CANDIDATO:
Perfecto, el sábado...

TAREA 4

SIMULACIÓN: CONVERSACIÓN CON EL ENTREVISTADOR

Usted deberá conversar con el entrevistador durante 3 o 4 minutos según la información que hay en su ficha.

FICHA A: EXAMINADOR

Usted y su compañero tienen que comprar un regalo para un amigo común. Usted prefiere preguntarle qué quiere de regalo y su compañero prefiere una sorpresa.

Debe:

1. Decir a su amigo que prefiere preguntarle qué quiere.
2. Explicar por qué prefiere preguntarle directamente.

☺ PREGUNTARLE QUÉ QUIERE	☹ HACER UN REGALO SORPRESA
- Es más práctico: así estamos seguros de que el regalo le va a gustar. - Más fácil: no tenemos que pensar mucho.	- Tenemos que pensar qué regalarle. - A lo mejor no le gusta el regalo.

3. Llegar a un acuerdo con su amigo.

FICHA B: CANDIDATO

Usted y su compañero tienen que comprar un regalo para un amigo común. Usted prefiere hacerle un regalo sorpresa y su compañero prefiere preguntarle qué quiere de regalo.

Debe:

1. Decir a su amigo que prefiere hacer un regalo sorpresa.
2. Explicar por qué prefiere un regalo sorpresa.

☺ HACER UN REGALO SORPRESA	☹ PREGUNTARLE QUÉ QUIERE
- Es más personal: nuestro amigo sabe que pensamos en él. - Es más divertido ir de compras juntos y pensar en qué comprarle.	- No es original: es como darle el dinero para comprarlo él mismo. - Nuestro amigo va a pensar que no queremos perder el tiempo buscando un regalo.

3. Llegar a un acuerdo con su amigo.

examen 2

COMPRAR, IR DE COMPRAS Y COMER FUERA

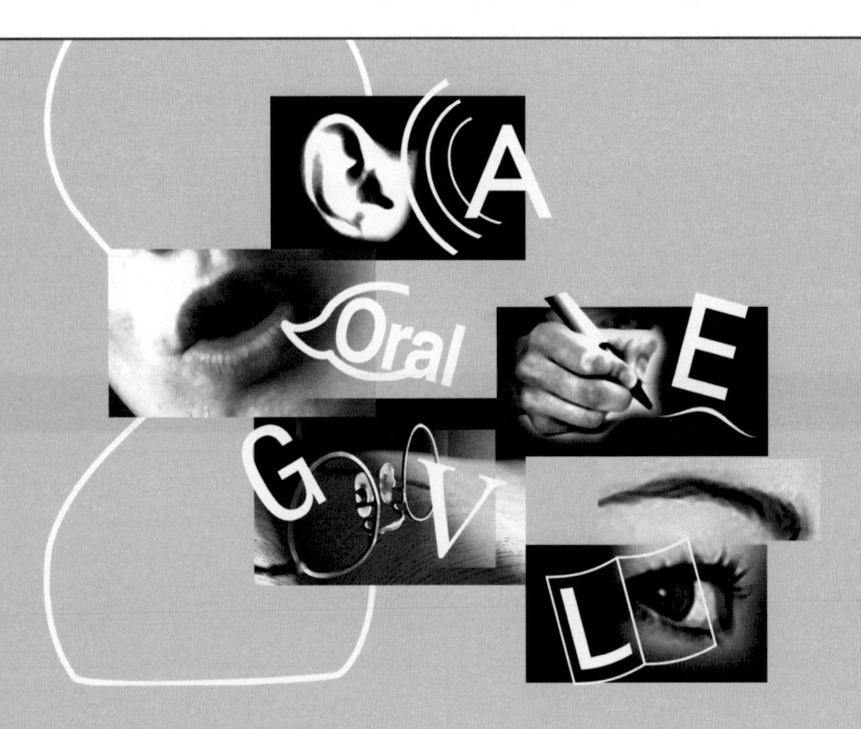

Te recomendamos este libro para ampliar el vocabulario del español de España y variantes de México y Argentina.

VOCABULARIO

IR DE COMPRAS

Cliente/a (el, la) ....
Dependiente/a (el, la) ....
Probador (el) ....
Ropa (la) ....
- de caballero ....
- de señora ....
Sección (la) ....
Talla (la) ....
Tienda (la) ....
- de decoración ....
- de deportes ....
- de electrodomésticos ....
- de regalos ....

PRENDAS DE VESTIR

Abrigo (el) ....
Bañador (el) ....
Biquini (el) ....
Botas (las) ....
Bragas (las) ....
Bufanda (la) ....
Calcetines (los) ....
Calzoncillos (los) ....
Cazadora (la) ....
Gorra (la) ....
Gorro (el) ....
Guantes (los) ....
Medias (las) ....
Pañuelo (el) ....
Pijama (el) ....
Sombrero (el) ....
Sujetador (el) ....
Traje (el) ....

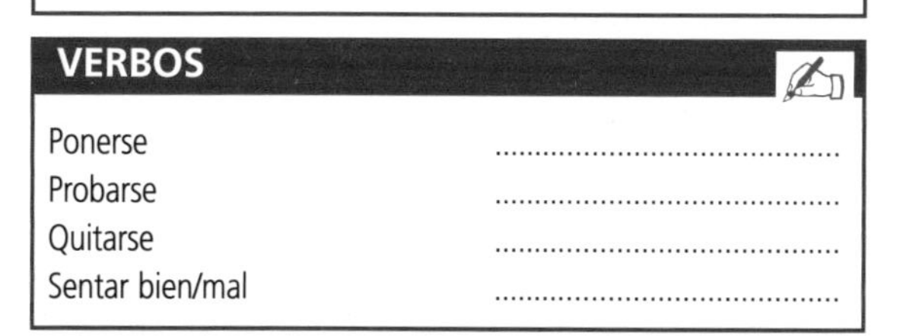

VERBOS

Ponerse ....
Probarse ....
Quitarse ....
Sentar bien/mal ....

ESTABLECIMIENTOS

Carnicería (la) ....
Centro comercial (el) ....
Estación de servicio (la) ....
Frutería (la) ....
Grandes almacenes (los) ....
Joyería (la) ....
Pescadería (la) ....
Zapatería (la) ....

ENVASES

Botella (la) ....
Lata (la) ....
- de atún ....
- de refresco ....
Paquete (el) ....
- de arroz ....
- de harina ....
Caja (la) ....
- de galletas ....
Bote (el) ....
- de mermelada ....
- de tomate ....

PESOS Y MEDIDAS

Docena de huevos (la) ....
Gramo (el) ....
Kilo (el) ....
- medio ....
- cuarto ....
Litro (el) ....

FORMAS DE PAGO

Billete (el) ....
Cheque (el) ....
En efectivo ....
Moneda (la) ....
Tarjeta (la) ....

BARES Y RESTAURANTES

Aperitivo (el) ....
Bebida (la) ....
Menú del día (el) ....
Ración (la) ....
Tapa (la) ....

VERBOS

Dejar/Dar propina ....
Devolver ....
Pedir/Traer ....
- la carta ....
- la cuenta ....
Pesar ....
Reservar una mesa ....

PRUEBA 1

Comprensión de lectura

Tiempo disponible para toda la prueba.

TAREA 1

A continuación va a leer ocho enunciados (incluido el ejemplo) y diez textos. Después, seleccione el texto, a)-j), que corresponde a cada enunciado, 1-7. Tiene que seleccionar siete textos.

	ENUNCIADOS	TEXTO
0.	No abren el día de Navidad.	a)
1.	Han cambiado de dirección.	
2.	El domingo es más caro.	
3.	No pueden entrar dos personas juntas.	
4.	No se puede pagar con tarjeta.	
5.	Solo se puede comer verduras.	
6.	Los niños pagan menos.	
7.	Los sábados trabajan menos horas.	

TEXTOS

a)

Aviso a los señores clientes

Centro comercial Nueva Avenida
cambia su horario durante las fiestas de Navidad:

Días 24 y 30 abrimos en horario de mañana, de 9:00 h a 14:00 h.
Días 25 y 31 el establecimiento cierra sus puertas.
Disculpen las molestias.

Les recordamos que abrimos el 1.er y 3.er fin de semana de cada mes.

b)

Restaurante VegeTal

- Comida vegetariana, alimentación biológica y macrobiótica.
- Amplia carta con más de 50 deliciosos platos.
- Menú del día (excepto domingos y festivos).

Venga a conocernos en calle del Pez Rojo, 1.

Reservas: 916247878 (a partir de las 12:00).
Admite tarjetas.

c)

Casa Paco

- Bocadillos, tapas, raciones, comida para llevar.
- Comida casera.
- Especialidad en cordero a la segoviana.
- Menú del día 15 € (de martes a viernes).
- Fines de semana 19 €.

Lunes cerrado.

d)

Maximod Mujer
Toda la actualidad a tu alcance

Aviso a nuestras clientas: Por obras de renovación y ampliación de nuestra tienda de la calle Real, trasladamos la venta a plaza del Rey, 2.

Disculpen las molestias.

e)

Peluquería Glamour

Extensiones, alisado definitivo, depilación láser, manicura y pedicura, cámara de rayos UVA.
Horario de lunes a viernes: de 10:30 h a 20:00 h.
Sábados: de 10:30 h a 14:00 h. Lunes cerrado.

f)

Cafetería
La Napolitana de chocolate

Pruebe nuestro bufé especial desayunos:
amplia selección en zumos naturales, bollería selecta y frutas del tiempo.
Precio: 8 € (IVA no incluido).
Menores de 12 años: 6 € (IVA no incluido).
También desayunos de empresa.
Horario: de 8:00 a 11:00. Martes cerrado.
Reservas. Tel.: 987676763

g)

Supermercado Ahorrabien

Aviso:
El próximo sábado 14 este establecimiento cierra por inventario.
Abrimos de nuevo el lunes 16 en horario de 9:00 a 21:00 ininterrumpidamente.
Pedidos en el 987005454. Deje su mensaje y le llevamos su pedido en 48 horas.
Gracias por su confianza.

h)

PROBADORES

- Solo 1 persona por probador.
- Máximo 5 prendas por persona.
- La ropa de baño y ropa interior no se pueden probar.
- Prohibido entrar con bolsas.
- No se hacen arreglos.

i)

Perfumerías Herranz&Herranz

Magnífica selección en perfumes, cosmética y productos de higiene personal.
Oferta especial de la semana:
- 20 % en perfumes para hombre.
- Limpieza de cutis gratuito por la compra de un tratamiento: crema de día y de noche.

Horario de 10:00 a 13:00 y de 17:00 a 20:00.
Abrimos el primer domingo de cada mes.

j)

Todo en productos de alimentación.
Gran sección de productos internacionales.
Interesantes ofertas: esta semana por 1 kg de pollo le regalamos una docena de huevos.
Solo pagos en efectivo.
Servicio a domicilio: 945903390.

TAREA 2

A continuación va a leer el correo electrónico que Alicia ha escrito a Lucía. Después, conteste las preguntas, 8-12, marcando la opción correcta, a), b) o c), para cada una.

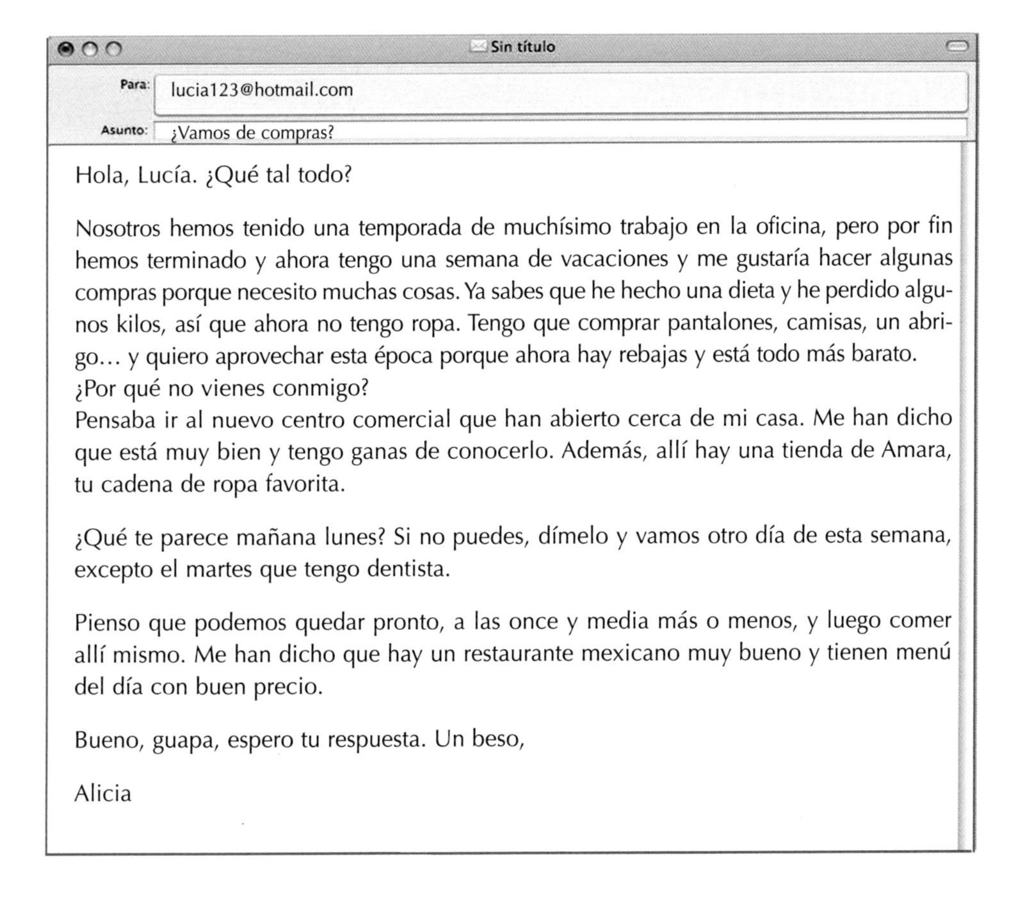

Sin título

Para: lucia123@hotmail.com

Asunto: ¿Vamos de compras?

Hola, Lucía. ¿Qué tal todo?

Nosotros hemos tenido una temporada de muchísimo trabajo en la oficina, pero por fin hemos terminado y ahora tengo una semana de vacaciones y me gustaría hacer algunas compras porque necesito muchas cosas. Ya sabes que he hecho una dieta y he perdido algunos kilos, así que ahora no tengo ropa. Tengo que comprar pantalones, camisas, un abrigo... y quiero aprovechar esta época porque ahora hay rebajas y está todo más barato. ¿Por qué no vienes conmigo?
Pensaba ir al nuevo centro comercial que han abierto cerca de mi casa. Me han dicho que está muy bien y tengo ganas de conocerlo. Además, allí hay una tienda de Amara, tu cadena de ropa favorita.

¿Qué te parece mañana lunes? Si no puedes, dímelo y vamos otro día de esta semana, excepto el martes que tengo dentista.

Pienso que podemos quedar pronto, a las once y media más o menos, y luego comer allí mismo. Me han dicho que hay un restaurante mexicano muy bueno y tienen menú del día con buen precio.

Bueno, guapa, espero tu respuesta. Un beso,

Alicia

PREGUNTAS

8. Alicia escribe a Lucía para:
a) Hablarle de su trabajo.
b) Invitarla a salir con ella.
c) Preguntarle por un centro comercial.

9. Alicia y Lucía son:
a) Amigas.
b) Compañeras de trabajo.
c) Vecinas.

10. Alicia le explica a Lucía que la ropa que tiene:
a) No le gusta.
b) Le queda grande.
c) Le queda pequeña.

11. Alicia quiere ir al centro comercial porque:
a) Es más barato.
b) Lo conoce y es muy bueno.
c) Es nuevo y quiere conocerlo.

12. Alicia dice que puede ir de compras:
a) El lunes solamente.
b) Solo el martes.
c) Todos los días menos el martes.

TAREA 3

A continuación va a leer seis anuncios y una pregunta sobre cada uno de ellos. Después, responda las preguntas, 13-18, marcando la opción correcta, a), b) o c), para cada una.

Texto 1

ZAPATERÍA LUJÁN

Fundada en 1965

Modelos exclusivos para caballero, señora y niño.
Amplia selección en calzado deportivo de las mejores marcas.
Estamos en calle Real, 5 (Camino Real), plaza del Ciervo, 2 (Villahermosa) y en la nueva tienda del centro comercial El Arroyo, en el Km 10 de la carretera de Villahermosa.

13. La tienda nueva está:
- **a)** En Villahermosa.
- **b)** En Camino Real.
- **c)** Cerca de Villahermosa.

Texto 2

CENTRO COMERCIAL EL CISNE

PRÓXIMA APERTURA

Más de 50000 m², en pleno centro urbano y con más de 250 establecimientos: tiendas de moda y complementos, belleza, hogar y decoración, calzado, deporte.
En la planta superior además de sus 10 salas de cine puede disfrutar de numerosos restaurantes, pizzerías, etc.
Dispone también de 400 plazas de aparcamiento gratuito las dos primeras horas.
¡Venga a disfrutar con nosotros!

14. En este centro comercial puedo:
- **a)** Ir de compras.
- **b)** Hacer la compra.
- **c)** Hacer deporte.

Texto 3

Perfumerías Los lirios

¡Precios sin competencia en las mejores marcas!
Esta semana gran variedad de productos de maquillaje y productos para el baño a precios reducidos: hasta un 70 %.

Además, este mes, por la compra de un tratamiento facial, te regalamos una sesión de maquillaje. Nuestros maquilladores profesionales están a tu disposición en nuestras tiendas de San Dacio, 15 y Vasco de Gama, 54.

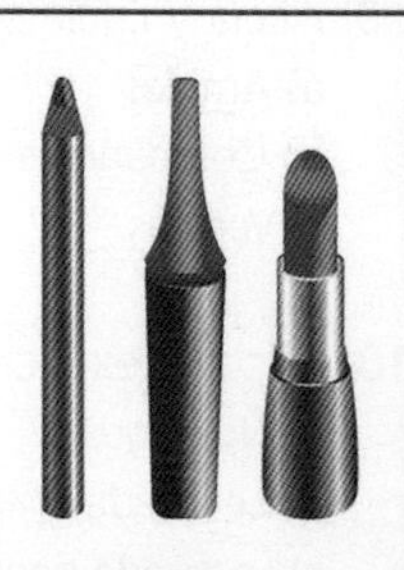

15. Ahora, en las perfumerías Los lirios, son más baratos:
a) Todos los productos.
b) Los productos de marca.
c) Los productos de maquillaje.

Texto 4

Peluquería África

¡Aprende todos los secretos para realzar tu belleza!
Cursos de automaquillaje de seis horas. Uno o dos días.
(El precio incluye: teoría, práctica y descuento del 20 % en productos de maquillaje).
Trae tus propios productos de maquillaje a las clases o, si lo prefieres, puedes adquirirlos en nuestro establecimiento.

16. Para las clases de automaquillaje:
a) Es necesario traer el maquillaje de casa.
b) Hay que comprar el maquillaje en la tienda.
c) Se puede traer el maquillaje de casa.

Texto 5

SECRETOS DE MUJER

Especialistas en ropa interior, ropa para dormir y ropa de baño.
• Para todas las edades • Sección premamá • Tallas especiales
Nuestras diseñadoras, mujeres actuales y dinámicas, crean modelos exclusivos para ti.
Ahora, en nuestro 25.° aniversario, por cada dos prendas, te regalamos la más barata.

17. En esta tienda si compro dos prendas:
a) Tengo un regalo.
b) Me regalan una de las dos.
c) Me regalan otra.

Texto 6

RESTAURANTE GUACAMOLE

La mejor comida mexicana con restaurantes en más de 30 países abre ahora en tu ciudad.
Burritos, quesadillas, tacos, enchiladas…
• Menú del día: 10,50 € (IVA incluido).
• Menú infantil para menores de 10 años: 6 € (IVA incluido).
(Válido todos los días de la semana excepto domingos y festivos).

18. Si voy a este restaurante con dos niños de 9 años un lunes, pago:
a) 10,50 €.
b) 16,50 €.
c) 22,50 €.

TAREA 4

A continuación va a leer diez textos de una guía de centros comerciales de Bilbao y siete enunciados. Después, seleccione el enunciado, 19-24, que corresponde a cada texto, a)-j). Tiene que seleccionar seis textos.

	ENUNCIADOS	TEXTO
0.	Vende a través de Internet.	a)
19.	No hay que pagar para aparcar.	
20.	Allí se puede poner gasolina en el coche.	
21.	Antes era mejor.	
22.	Se puede ver una película allí.	
23.	Es nuevo.	
24.	Allí hay ropa de marca más barata.	

a) XELECTIA

Xelectia ofrece a los usuarios la posibilidad de comprar *on-line* una cuidada selección de artículos de diseño y prestigiosas marcas de moda y complementos, así como artículos de joyería, relojería, óptica, decoración, zapatería, libros, *delicatessen* o deportes como el ciclismo, montaña, etc.

b) CENTRO COMERCIAL ARTEA

Inmejorable sitio para ir con tiempo, sin prisa. Al lado de Bilbao, encontramos este gran centro comercial en el que se puede encontrar de todo, desde un hipermercado Eroski hasta multicines, además de tiendas de calzado y ropa, jugueterías, cafeterías, cervecerías, etc.

c) CARREFOUR (SESTAO)

Hipermercado con una superficie de 7000 m², que ofrece un amplio surtido de productos frescos, bazar, textil y electrodomésticos, todo bajo el mismo techo. En Carrefour el cliente, además de comprar, puede hacer uso de servicios como seguros, viajes, etc. Y para su automóvil, el mejor precio en carburante en sus estaciones de servicio.

d) EL CORTE INGLÉS

La mayor cadena de grandes almacenes de España le ofrece una amplia variedad de artículos de moda, hogar, alimentación, deportes, electrónica, perfumería, motor, etc. Puede pagar con tarjeta de compra El Corte Inglés.
Dispone, además, de un Departamento de Servicio al Cliente y cajeros automáticos.

e) CENTRO COMERCIAL ZUBIARTE

Con más de setenta establecimientos, seis edificios de siete plantas y un *parking* para 840 vehículos, es el primer centro de estas características que se asienta sobre suelo urbano bilbaíno y que acaba de abrir sus puertas, poniendo a disposición del público una amplísima oferta comercial.

f) MAX CENTER

Un mundo de ideas que le ofrece todo lo necesario para disfrutar cómodamente: atención al cliente, ascensor para minusválidos, buzón de correos, aparcamiento gratuito, aparcamiento para minusválidos, teléfonos públicos, cajeros automáticos, paradas de autobús y taxi, objetos perdidos, cambia bebés, etc.

g) CENTRO COMERCIAL BALLONTI

Este centro comercial destaca por algunas novedades: Ballonti Indoor Karting, la primera pista cubierta de *kart* de Bizkaia, un amplio gimnasio, con zonas termoacuáticas de última generación y, junto a estos, Bugybowling, una gran bolera para jugar a los bolos.

h) **CENTRO COMERCIAL BIDARTE**

Este centro comercial, en Deusto, fue uno de los mejores centros comerciales de Bilbao en su apertura. Sin embargo, con la llegada de grandes almacenes y centros comerciales como Megapark, Max Center o Zubiarte, ha perdido popularidad. Muy pocas tiendas y poco espacio.

i) PARK AVENUE

El único *fashion outlet* del norte de la península. En él puedes encontrar artículos de calidad, de las principales marcas de moda, con precios muy, muy interesantes. Puedes vestirte de pies a cabeza con descuentos del 30 % y el 80 % de las marcas más prestigiosas.

j) **MERCADO DE LA RIBERA**

Famoso por ser uno de los mayores mercados cubiertos del mundo. Ofrece una gran variedad de productos locales a buen precio. Hacer la compra en este mercado tradicional, lleno de color, es una inolvidable experiencia.

TAREA 5

A continuación va a leer un texto sobre una empresa española. Después, conteste las preguntas, 25-30, marcando la opción correcta, a), b) o c), para cada una.

ANUNCIOS 11

ZARA: PRODUCTO ESPAÑOL

Inditex es uno de los principales distribuidores de moda del mundo, con ocho formatos comerciales: Zara, Pull&Bear, Massimo Dutti, Bershka, Stradivarius, Oysho, Zara Home y Uterqüe. Sus tiendas, ubicadas en zonas privilegiadas, están presentes en más de 400 ciudades en Europa, América, Asia y África.

La sede del grupo, que pertenece al empresario español Amancio Ortega, está en A Coruña, donde se abrió el primer Zara, la principal cadena del grupo, en 1975. Al principio los modelos eran baratos y parecidos a los de marcas caras. El negocio fue un éxito y Ortega empezó a abrir más tiendas por toda España.

En los 80, Ortega cambió el proceso de diseño, fabricación y distribución para reaccionar rápidamente a las nuevas tendencias en lo que él llamaba «moda instantánea». En Zara el diseño se concibe como un proceso estrechamente ligado al público. La constante información que llega de las diferentes tiendas va directamente a un equipo de creación con más de 200 profesionales que responden a las demandas del cliente. Se dice que Zara necesita solo dos semanas para desarrollar un nuevo producto y ponerlo en el mercado (lo normal son seis meses), así lanza alrededor de 10000 nuevos modelos cada año. El secreto es usar equipos de diseñadores en lugar de individuos. Sus colecciones son pequeñas y se agotan rápidamente, con lo que se crea una sensación de exclusividad y la necesidad de visitar las tiendas periódicamente.

La distribución se realiza en tiendas propias, donde se cuida al máximo la decoración, la música de ambiente y la atención.

Quizá lo más original de su estrategia es su política de no hacer publicidad, lo que la diferencia de otras marcas competidoras. Zara prefiere invertir en abrir nuevas tiendas.

Por otro lado, Zara no sigue la tendencia de mover la producción a países más pobres y por tanto baratos: el 50 % de sus productos se hacen en España y el 26 % en otros países europeos. El resto se realiza en Asia, África y América.

En 1988, Zara abrió en Oporto, Portugal, su primera tienda fuera de España. En 1989 entró en los EE. UU. y en 1990 en Francia. Su expansión internacional es continua y en la actualidad se encuentra en más de setenta países.

Las tiendas de Zara ofrecen ropa de hombre, mujer y niño, ropa interior, zapatos, cosméticos y complementos. Actualmente existe también Zara Home, donde se venden artículos para la casa, que además se pueden comprar por Internet.

Adaptado de varias fuentes

PREGUNTAS

25. El texto trata sobre:
- **a)** La vida de Amancio Ortega, creador de Zara.
- **b)** La historia de la cadena de moda Zara.
- **c)** La moda en España.

26. Zara:
- **a)** Vende y produce solo en España.
- **b)** Produce en España y vende en todo el mundo.
- **c)** Vende y produce en todo el mundo.

27. Zara es:
- **a)** El único negocio de Amancio Ortega.
- **b)** Uno de los negocios menos importantes de Amancio Ortega.
- **c)** El negocio más importante de Amancio Ortega.

28. Los modelos de Zara son creados por:
- **a)** Un grupo de diseñadores.
- **b)** Amancio Ortega personalmente.
- **c)** Un solo diseñador.

29. La cadena Zara:
- **a)** No hace anuncios.
- **b)** Hace tantos anuncios como las otras marcas.
- **c)** Hace más anuncios que las otras marcas.

30. En Zara Home se pueden comprar artículos de:
- **a)** Moda.
- **b)** Perfumería y cosmética.
- **c)** Decoración.

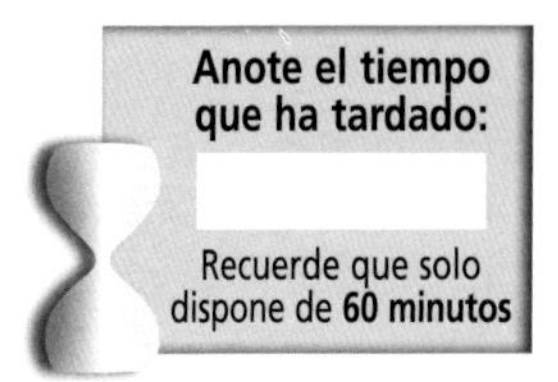

PRUEBA 2

TAREA 1

A continuación escuchará siete anuncios de radio. Oirá los anuncios dos veces. Después, marque la opción correcta, a), b) o c), para cada pregunta, 1-7.

PREGUNTAS

1. Esta semana Lilac regala:
- **a)** Una nueva colonia.
- **b)** Un pañuelo.
- **c)** Dos productos.

2. Si decido usar el bufé, voy a pagar:
- **a)** Diez euros.
- **b)** Más de diez euros.
- **c)** Menos de diez euros.

3. En Piececitos venden zapatos:
- **a)** Para todos.
- **b)** Para jóvenes.
- **c)** Para niños.

4. Supermercados Florián regala un libro de recetas:
- **a)** Si compras un producto de la nueva sección.
- **b)** Si visitas la nueva sección «Sabores del mundo».
- **c)** Si compras cualquier producto del supermercado.

5. Este anuncio es para:
- **a)** Encontrar dependientes para una tienda.
- **b)** Informar de la apertura de una nueva tienda.
- **c)** Anunciar nueva ropa para jóvenes.

6. En este centro comercial:
- **a)** Los niños pueden ir a cines especiales para ellos.
- **b)** Cuidan a los niños mientras los padres compran.
- **c)** Los niños no pueden entrar en algunas tiendas.

7. Esta tienda vende más barato:
- **a)** Siempre.
- **b)** A los cien primeros clientes.
- **c)** Durante la primera semana.

CD I

TAREA 2

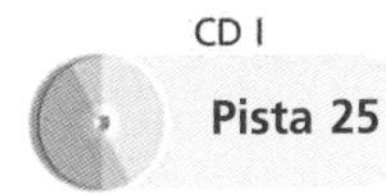

A continuación escuchará una noticia de radio sobre un restaurante. Oirá la noticia dos veces. Después, marque la opción correcta, a), b) o c), para cada pregunta, 8-13.

PREGUNTAS

8. La intención de esta noticia es:
a) Hablar de la comida sana.
b) Presentar un restaurante.
c) Informar sobre la cocina japonesa.

9. La actitud del periodista es:
a) Muy positiva.
b) Muy negativa.
c) Piensa que hay cosas buenas y cosas malas.

10. En este restaurante pueden comer:
a) Hasta 40 clientes.
b) Hasta 60 clientes.
c) Hasta 20 clientes.

11. Alberto González:
a) Está casado con una japonesa.
b) Es hijo de una japonesa.
c) Es hijo de una española.

12. Manel Rius es:
a) Una empresa especializada en postres.
b) Un cocinero de fama internacional.
c) Un cliente al que le gusta el chocolate.

13. Los precios de Araya-shiki:
a) Son más caros de lo normal.
b) Son normales.
c) Son más baratos de lo normal.

CD I

TAREA 3

A continuación escuchará siete mensajes. Oirá cada mensaje dos veces. Después, seleccione el enunciado, a)-j), que corresponde a cada mensaje, 14-19. Hay diez enunciados. Tiene que seleccionar seis.

	MENSAJES	ENUNCIADO
0.	Mensaje 1	a)
14.	Mensaje 2	
15.	Mensaje 3	
16.	Mensaje 4	
17.	Mensaje 5	
18.	Mensaje 6	
19.	Mensaje 7	

	ENUNCIADOS
a)	Tres cuestan veinticuatro euros.
b)	El pedido no está completo.
c)	El coche está estropeado.
d)	Pregunta por una dirección.
e)	No va a poder ir a la cita.
f)	Hay que salir en un cuarto de hora.
g)	La segunda sale más barata.
h)	No pueden atenderme ahora.
i)	No puede hacerle el favor.
j)	Tiene que quitarlo de allí.

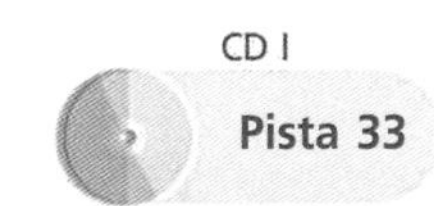

TAREA 4

A continuación escuchará una conversación telefónica entre un empleado de una tienda y una clienta. Oirá la conversación dos veces. Después, seleccione la opción correcta, a), b) o c), para cada pregunta, 20-25.

PREGUNTAS

20. La mujer ha comprado los electrodomésticos en:
- **a)** Una tienda de electrodomésticos.
- **b)** Un hipermercado.
- **c)** Una fábrica.

21. La mujer ya ha recibido:

a)

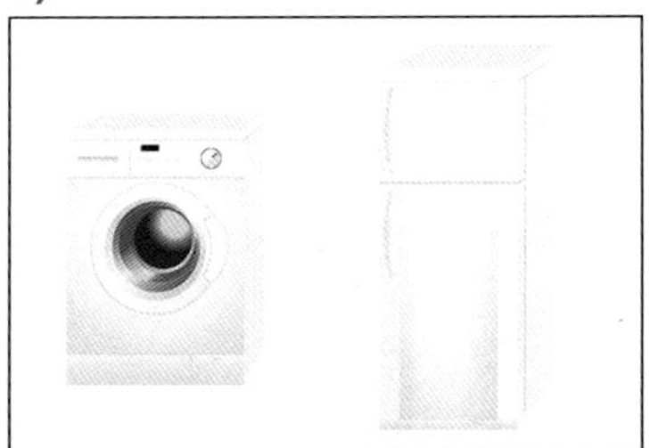

b)

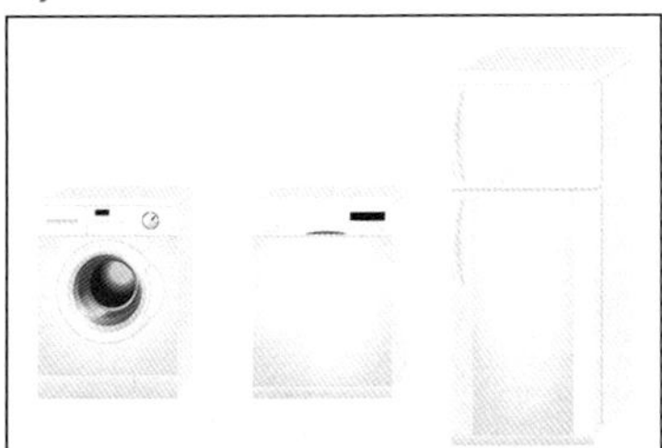

c)

22. La mujer:
- **a)** Todavía no vive en esa casa.
- **b)** Ha empezado a vivir ahí hace poco tiempo.
- **c)** Vive ahí desde hace mucho tiempo.

23. El problema estaba:
- **a)** En el número de la casa.
- **b)** En el nombre de la calle.
- **c)** En el número del piso.

24. La señora estuvo esperando:
- **a)** Hasta la una y media.
- **b)** Todo el día.
- **c)** Una semana.

25. La señora:
- **a)** Está contenta con el servicio de la tienda.
- **b)** No puede esperar tanto tiempo.
- **c)** Va a comprar un frigorífico en otra marca.

TAREA 5

A continuación escuchará una conversación entre dos personas. Oirá la conversación dos veces. Después, seleccione la imagen, a)-h), que corresponde a cada enunciado, 26-30. Tiene que seleccionar cinco imágenes.

	ENUNCIADOS	IMAGEN
26.	Lugar de la conversación.	
27.	Lo que quiere comprar la mujer.	
28.	La familia del hombre.	
29.	Profesión del marido de la mujer.	
30.	Le gusta mucho a la señora.	

a)

b)

c)

d)

e)

f)

g)

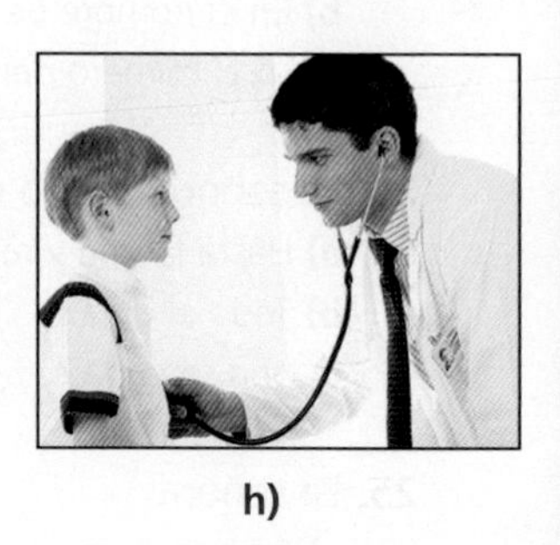
h)

Anote el tiempo que ha tardado:

Recuerde que solo dispone de **35 minutos**

Sugerencias para los textos orales y escritos

APUNTES DE GRAMÁTICA

- Para preguntar por el precio usamos los verbos *costar*, *valer*: *¿Cuánto cuesta/vale?* o la expresión *¿Qué precio tiene?*
- Para hablar de horarios usamos *de... a/desde las... hasta las: Siempre comemos de 14:00 h a 15:00 h. Las tiendas abren desde las 10:00 h hasta las 20:00 h.*
- Para hablar de comidas usamos los adjetivos *frío, caliente, rico, bueno, malo, salado, dulce*: *La paella estaba salada.*
- Para expresar gustos o preferencias absolutas usamos *lo que más/menos*: *Lo que más me gusta es la fruta.*
- Para hablar de la ropa usamos *talla* y para hablar del calzado usamos *número*: *¿Qué talla tiene? ¿Qué número necesita?*

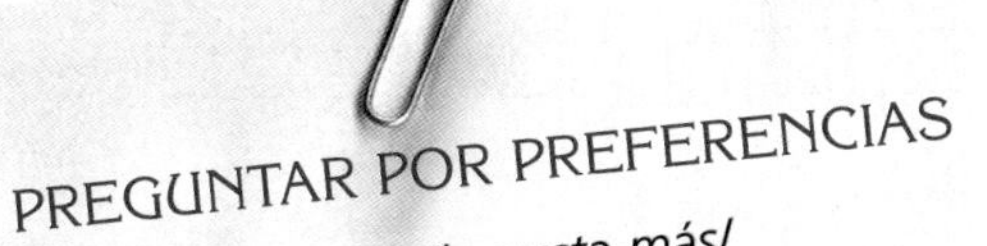

- ☐ *¿Qué/Cuál prefiere/le gusta más/le interesa más?*
- ☐ ¿Prefiere...?
- ☐ ¿Qué tipo de... *prefiere/le gusta más/le interesa?*
- ☐ *¿Cuál/Quién* es su... *preferido/favorito?*

PROPONER E INVITAR

- ☐ ¿Vamos a cenar fuera?
- ☐ ¿Tomamos algo?
- ☐ ¿Quedamos el lunes?
- ☐ ¿Qué tal si vamos al *nuevo centro comercial/restaurante que han abierto*?

OPINAR Y VALORAR

- ☐ Es *muy/demasiado caro/barato...*
- ☐ (No) Está *bien/mal*.
- ☐ ¡Qué *barato/bonito...*!
- ☐ Yo creo...
- ☐ A mí me parece que...
- ☐ Para mí...

PRUEBA 3

Expresión e interacción escritas

TAREA 1

Usted necesita organizar el cumpleaños de su hijo. Escriba un correo electrónico a Mi fiesta, un conocido lugar de su ciudad donde celebran este tipo de eventos. En él debe:

- Pedir información sobre las fechas disponibles.
- Preguntar si tienen menú infantil y en qué consiste.
- Pedir información sobre precios y condiciones.

Número de palabras: entre 30 y 40.

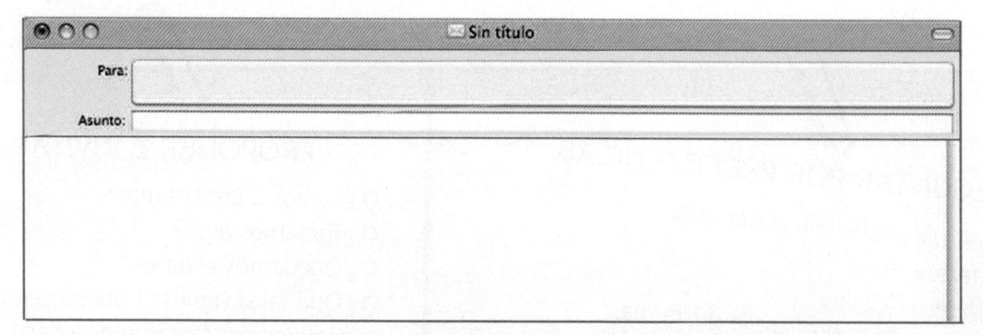

TAREA 2

Usted ha ido a un nuevo restaurante este fin de semana. Escriba su opinión en el foro www.mundorestauracion.com. En él debe:

- Describir el restaurante.
- Explicar con quién fue y qué comió.
- Dar su opinión sobre el lugar.

No olvide saludar y despedirse.
Número de palabras: entre 70 y 80.

Foro mundorestauración

registrarse fotos música temas de hoy

Nombre de cuenta:
Contraseña:
Conectar

Opiniones

TAREA 3

Estas son algunas de las fotografías del nuevo centro comercial que usted acaba de visitar. Escriba un texto para la página web de su comunidad. En él tiene que contar:

- Dónde está el centro comercial.
- Cómo es y qué hay en él.
- Las cosas positivas y las cosas negativas.

Número de palabras: entre 70 y 80.

En el centro comercial

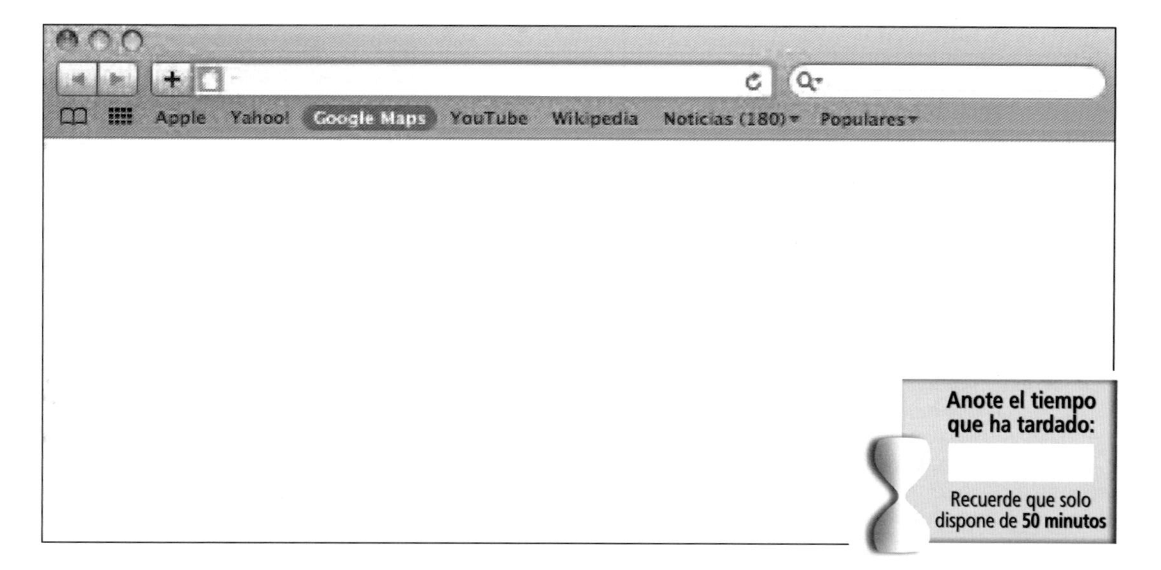

PRUEBA 4

Expresión e interacción orales

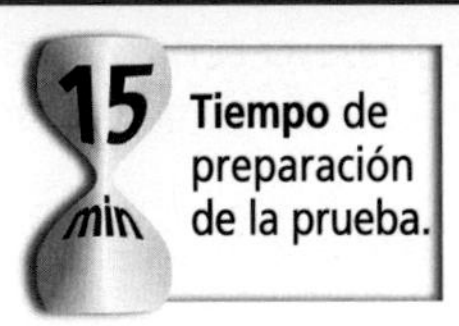

Tiempo de preparación de la prueba.

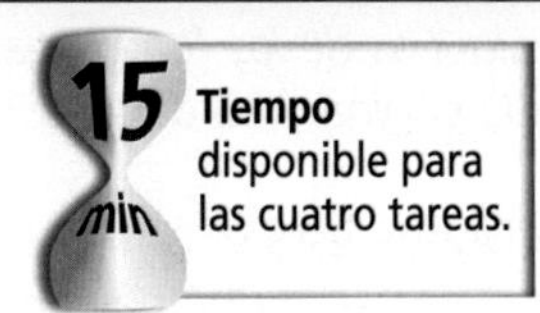

Tiempo disponible para las cuatro tareas.

TAREA 1

EXPOSICIÓN DE UN TEMA: MONÓLOGO

Usted tiene que hablar ante el entrevistador sobre dónde hacer la compra durante 3 o 4 minutos. Elija uno de los aspectos que se le proponen.

HACER LA COMPRA

Mercado tradicional

- ¿Hay algún mercado tradicional cerca de su casa? ¿Cómo es?
- ¿Con qué frecuencia compra allí? ¿Qué productos compra?
- ¿Cuáles cree que son las ventajas de comprar allí? ¿Y los inconvenientes?
- ¿Qué relación tiene con los vendedores?

Tiendas pequeñas

- ¿En su barrio hay muchas tiendas?
- ¿Le gusta este tipo de establecimientos? ¿Por qué?
- ¿Le conocen los dueños de esas tiendas?
- ¿Quién suele hacer la compra en su familia, usted u otra persona?
- ¿Qué cosas suele comprar todos los días y qué cosas compra, por ejemplo, una vez a la semana?

Hipermercado

- ¿Hay muchos hipermercados en su ciudad?
- ¿Qué aspectos positivos encuentra en este tipo de establecimientos? ¿Y negativos?
- ¿Solo compra la comida en el hipermercado o compra también otro tipo de productos (ropa, productos de limpieza, perfumes...)?
- ¿Suele aprovechar las ofertas?
- ¿Lleva usted mismo su compra a casa o se la llevan?

Supermercado

- ¿Hay buenos supermercados cerca de su casa?
- ¿Con qué frecuencia compra en ellos? ¿Compra durante la semana o los fines de semana?
- ¿Qué ventajas tiene el supermercado frente a las tiendas pequeñas, especializadas en un tipo de producto? ¿Y frente al hipermercado?
- ¿Hay cosas que prefiere no comprar en el supermercado? ¿Por qué?
- ¿Suele usted hacer una lista de la compra?

Internet

- ¿Tiene mucha experiencia comprando por Internet?
- ¿Cree que puede haber algún problema comprando así?
- ¿Cuáles pueden ser las ventajas e inconvenientes de esta forma de comprar?
- En su país, ¿hay muchos supermercados que ofrecen esta modalidad de compra?
- ¿Qué tipo de cosas cree que hay que comprar personalmente, que no se pueden comprar sin verlas?
- ¿Cree que en el futuro solo se comprará por Internet?

TAREA 2

DESCRIPCIÓN DE UNA FOTO

Usted tiene que describir la siguiente fotografía durante 2 o 3 minutos.

Ejemplos de preguntas para la descripción

- ¿Qué ve en la foto?
- ¿Quiénes son las personas de la foto? ¿Qué hacen?
- ¿Cómo son físicamente? ¿Cómo van vestidas?
- ¿Dónde están? ¿Cómo es el lugar?
- ¿En qué época del año cree que están?
- ¿De qué cree que están hablando?

TAREA 3

SIMULACIÓN: DIÁLOGO CON EL ENTREVISTADOR

Imagine que usted está en una tienda de ropa, quiere comprarse un traje elegante para una fiesta. Hable con el/la dependiente/a durante 2 o 3 minutos.

Modelo de conversación

1. Inicio

EXAMINADOR:
Hola, *buenos días/buenas tardes.*
CANDIDATO:
Hola...
EXAMINADOR:
¿En qué puedo ayudarlo/la?
CANDIDATO:
Quería...

2. Fase de desarrollo

EXAMINADOR:
¿Qué tipo de...?
CANDIDATO: *descripción de la prenda que necesita.*
Pues quiero un/-a...
EXAMINADOR:
¿De qué talla?
CANDIDATO:
Pues...
EXAMINADOR:
Mire, tenemos estos modelos... ¿Le gusta alguno?
CANDIDATO: *expresar gustos e intereses.*
Sí, este me gusta...
EXAMINADOR:
¿Cómo va a pagar?
CANDIDATO:
...

3. Despedida y cierre

EXAMINADOR:
Adiós...
CANDIDATO:
...

TAREA 4

SIMULACIÓN: CONVERSACIÓN CON EL ENTREVISTADOR

Usted deberá conversar con el entrevistador durante 3 o 4 minutos según la información que hay en su ficha.

FICHA A: EXAMINADOR

Usted vive con un amigo y es la hora de comer. Usted prefiere comer fuera y su amigo prefiere comer en casa.

Debe:

1. Decir a su amigo que prefiere comer fuera.
2. Explicar por qué prefiere comer en un resturante.

☺ COMER FUERA	☹ COMER EN CASA
- Más divertido: quedamos con amigos.	- Hay que cocinar.
- Más cómodo: no hay que hacer la compra.	- Hay que lavar los platos y limpiar.
- Más práctico: no hay que limpiar luego.	- Más aburrido.
	- No hay tiempo para hablar con los amigos.

3. Llegar a un acuerdo con su amigo.

FICHA B: CANDIDATO

Usted vive con un amigo y es la hora de comer. Usted prefiere comer en casa y su amigo prefiere comer fuera.

Debe:

1. Decir a su amigo que prefiere comer en casa.
2. Explicar por qué prefiere quedarse en casa a comer.

☺ COMER EN CASA	☹ COMER FUERA
- Más cómodo: no hay que vestirse para salir.	- Más caro.
- Más barato.	- Hay que esperar para comer.
- Más sano: sabes lo que comes.	- La comida es de peor calidad.
	- Hay mucho ruido o humo.

3. Llegar a un acuerdo con su amigo.

examen 3

LA SALUD, LA HIGIENE Y LA ALIMENTACIÓN

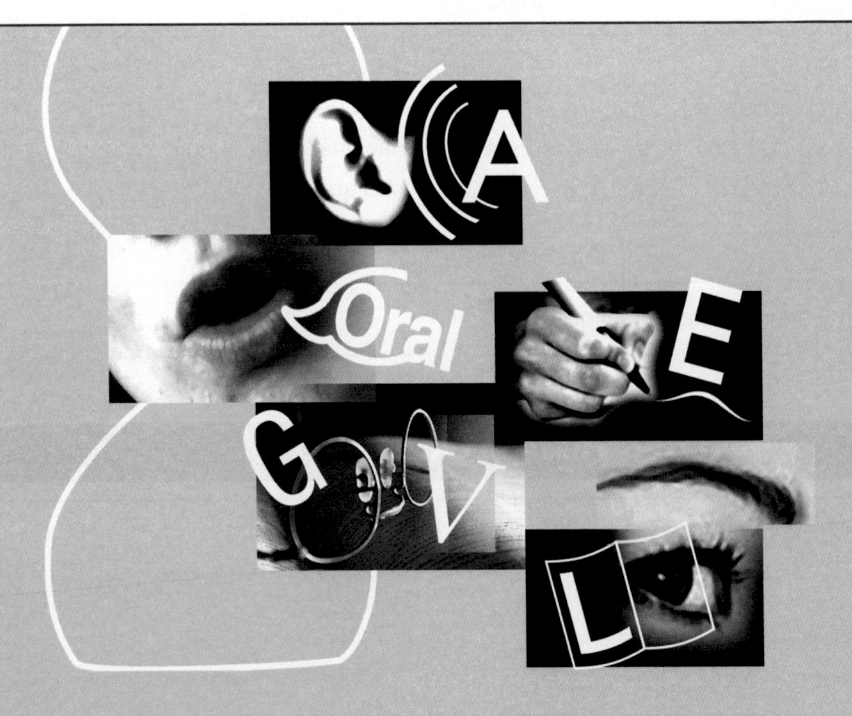

Te recomendamos este libro para ampliar el vocabulario del español de España y variantes de México y Argentina.

VOCABULARIO

FICHA DE AYUDA
para la Expresión e interacción escritas
y la Expresión e interacción orales

PARTES DEL CUERPO

Brazo (el) ....
Cabeza (la) ....
Cara (la) ....
Dedo (el) ....
Dientes (los) ....
Encía (la) ....
Espalda (la) ....
Estómago (el) ....
Garganta (la) ....
Lengua (la) ....
Mano (la) ....
Muela (la) ....
Oído (el) ....
Pierna (la) ....

ESTADOS DE ÁNIMO Y FÍSICOS

Alergia (la) ....
Calor (el) ....
Cansado/a ....
Contento/a ....
Dolor (el) ....
- de cabeza ....
- de espalda ....
Enfadado/a ....
Fiebre (la) ....
Gripe (la) ....
Hambre (el) ....
Miedo (el) ....
Nervioso/a ....
Preocupado/a ....
Sed (la) ....
Sueño (el) ....
Tos (la) ....
Triste ....

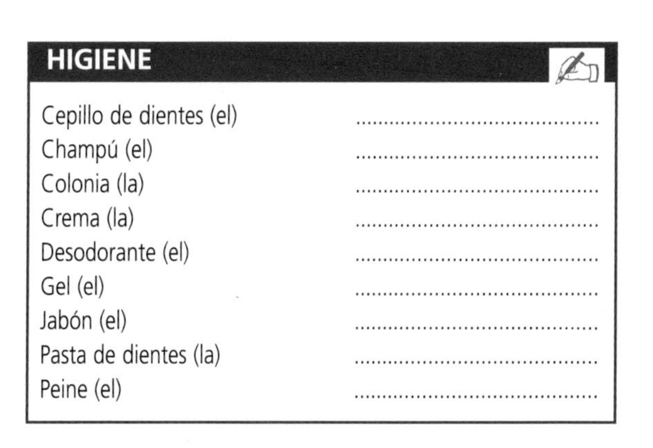

HIGIENE

Cepillo de dientes (el) ....
Champú (el) ....
Colonia (la) ....
Crema (la) ....
Desodorante (el) ....
Gel (el) ....
Jabón (el) ....
Pasta de dientes (la) ....
Peine (el) ....

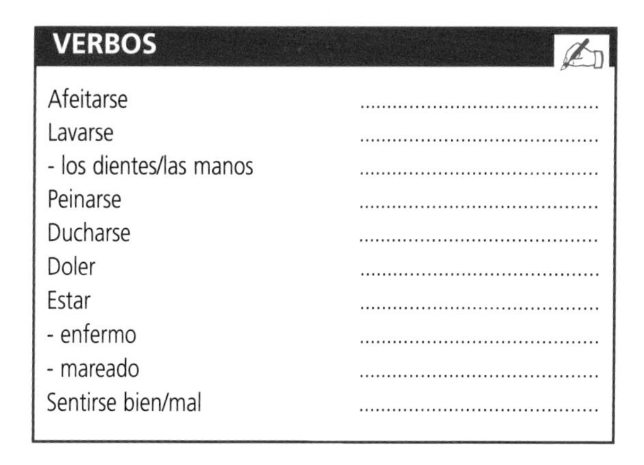

VERBOS

Afeitarse ....
Lavarse ....
- los dientes/las manos ....
Peinarse ....
Ducharse ....
Doler ....
Estar ....
- enfermo ....
- mareado ....
Sentirse bien/mal ....

ALIMENTACIÓN

Ajo (el) ....
Carne (la) ....
- de ternera/cerdo/cordero ....
Cebolla (la) ....
Cereales (los) ....
Filete (el) ....
Galletas (las) ....
Gambas (las) ....
Helado (el) ....
- de fresa/de vainilla ....
Jamón (el) ....
- serrano/york ....
Infusión (la) ....
Mantequilla (la) ....
Mayonesa (la) ....
Merluza (la) ....
Perejil (el) ....
Pimienta (la) ....
Plátano (el) ....
Salmón (el) ....
Salsa (la) ....
Tarta (la) ....
- de manzana/de chocolate ....
Zanahoria (la) ....

VARIOS

Ambulancia (la) ....
Centro de salud (el) ....
Ingrediente (el) ....
Jarabe (el) ....
Medicamento (el) ....
Pastilla (la) ....
Receta (la) ....
Seguridad Social (la) ....
Ser vegetariano ....
Urgencias (las) ....

PRUEBA 1 Comprensión de lectura

Tiempo disponible para toda la prueba.

TAREA 1

A continuación va a leer ocho enunciados (incluido el ejemplo) y diez textos. Después, seleccione el texto, a)-j), que corresponde a cada enunciado, 1-7. Tiene que seleccionar siete textos.

	ENUNCIADOS	TEXTO
0.	No se puede hacer por la tarde.	a)
1.	Son consejos para niños.	
2.	Nunca cierra.	
3.	No se puede dejar el coche allí.	
4.	No van a trabajar durante una semana.	
5.	Es solo para los trabajadores.	
6.	Hay que entrar por otro lado.	
7.	Los niños no deben tomarlo.	

TEXTOS

a)

CENTRO DE MEDICINA NATURAL ÁBACO

Curso de medicina natural y tradicional

Del 15 de abril al 15 de mayo.
Horario de mañana.
Inscripciones a través de nuestra página web www.medinatural.com

b)

CENTRO DE SALUD EL SUR

ATENCIÓN
SALIDA Y ENTRADA DE AMBULANCIAS.

PROHIBIDO APARCAR O DEJAR OBJETOS DELANTE DE ESTA PUERTA.
AVISAMOS GRÚA.

c)

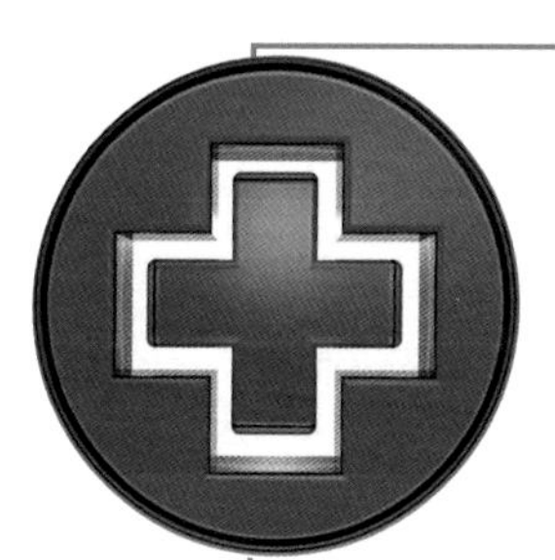

FARMACIA LICENCIADA MARÍA CONTRERAS

Nuevo horario: 24 horas, siete días a la semana, 365 días al año.

- Toma de tensión gratuita.
- Servicio de entrega a domicilio.
- Consultas *on-line:* mariacontrerasfarma@yahoo.es o en el teléfono 667897863.

d)

CLÍNICA VETERINARIA SANIPET

Aviso a los clientes:
La clínica veterinaria cierra desde el próximo lunes 3 hasta el domingo 9 por asunto personal. Disculpen las molestias.

e)

BRUXAN ANTIINFLAMATORIO

Modo de empleo:
Tomar tres veces al día después de las comidas con un poco de agua u otro líquido.
No suspender el tratamiento hasta finalizar la dosis indicada.
En caso de reacción, consulte con su médico o farmacéutico.

f)

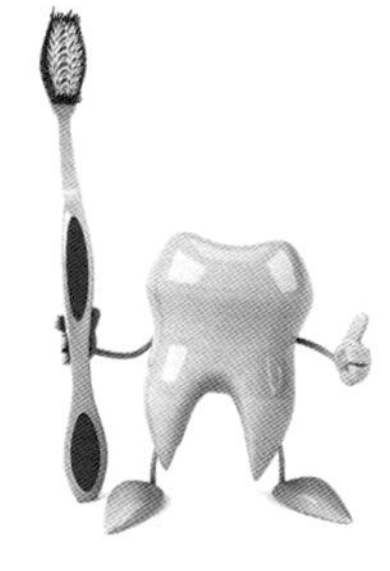

Consulta Dental Bucosan

Para una buena higiene dental de tus hijos:
1. Cepillar bien los dientes, las encías y la lengua.
2. Usar hilo dental y un cepillo adecuado (suave, medio, duro).
3. Usar pasta dental o dentífrico con flúor.

g)

RESTAURANTE VEGETARIANO LA CAMPIÑA

Normas de higiene en la cocina:

1. Lavarse las manos con jabón y secarlas con una toalla de papel limpia.
2. Usar guantes desechables.
3. Mantener limpio el uniforme.
4. Limpiar las superficies donde se trabaja y los utensilios que se van a usar.

Gracias

h)

Centro de dietética Estrella Polar

Informa:

Por obras en nuestras instalaciones, la puerta principal de entrada al centro estará cerrada hasta finales de mes. Durante este periodo, el acceso será por la calle Pino, 2.

Disculpen las molestias.

i)

MIGRALIV 650 mg comprimidos

Alivio sintomático de los dolores de cabeza.
Migraliv 650 mg comprimidos debe tomarse por vía oral.
Dosis:

- Adultos y mayores de 15 años: 1 comprimido cada 4-6 horas, hasta un máximo de 6 comprimidos al día.
- Pacientes de edad avanzada: consultar a su médico.
- No administrar a menores de 14 años.

j)

Centro de terapias alternativas Blanco y Azul

Ascensor reservado al personal del centro.
Las visitas pueden usar el que está junto a la recepción.
Disculpen las molestias.

TAREA 2

A continuación va a leer el correo electrónico que María ha enviado a su amiga Clara. Después, conteste las preguntas, 8-12, marcando la opción correcta, a), b) o c), para cada una.

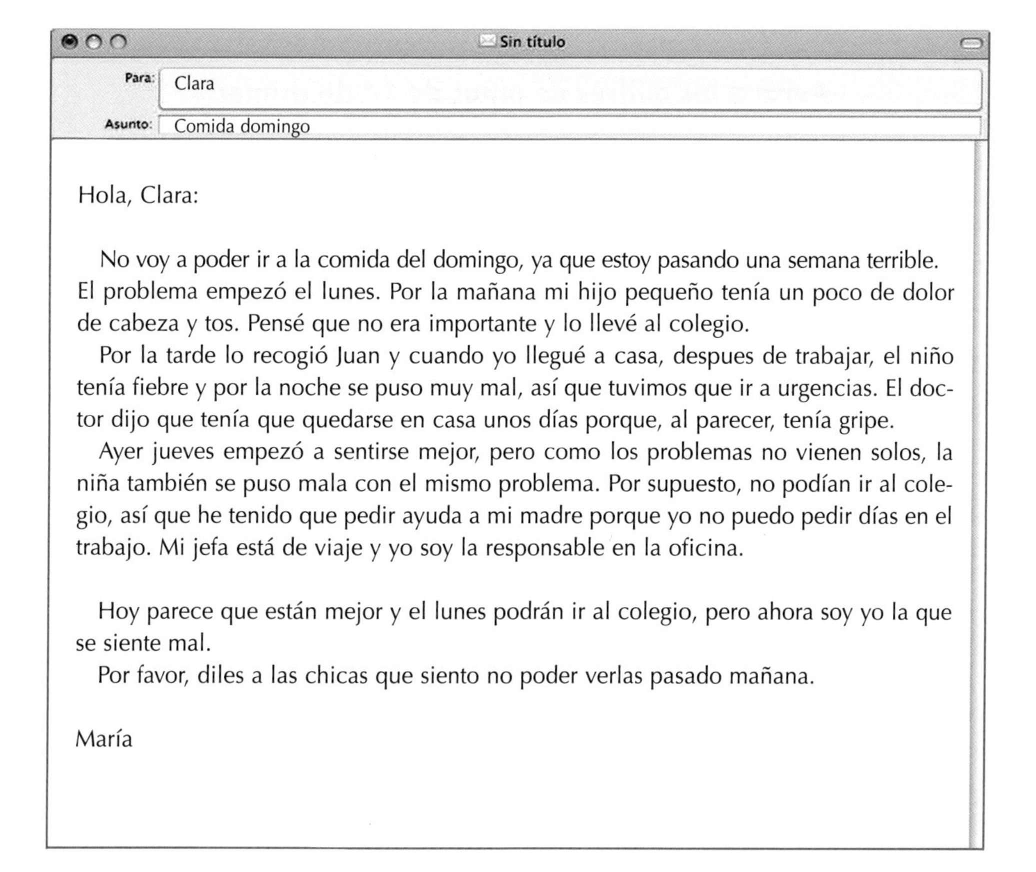

Sin título

Para: Clara

Asunto: Comida domingo

Hola, Clara:

No voy a poder ir a la comida del domingo, ya que estoy pasando una semana terrible. El problema empezó el lunes. Por la mañana mi hijo pequeño tenía un poco de dolor de cabeza y tos. Pensé que no era importante y lo llevé al colegio.

Por la tarde lo recogió Juan y cuando yo llegué a casa, despues de trabajar, el niño tenía fiebre y por la noche se puso muy mal, así que tuvimos que ir a urgencias. El doctor dijo que tenía que quedarse en casa unos días porque, al parecer, tenía gripe.

Ayer jueves empezó a sentirse mejor, pero como los problemas no vienen solos, la niña también se puso mala con el mismo problema. Por supuesto, no podían ir al colegio, así que he tenido que pedir ayuda a mi madre porque yo no puedo pedir días en el trabajo. Mi jefa está de viaje y yo soy la responsable en la oficina.

Hoy parece que están mejor y el lunes podrán ir al colegio, pero ahora soy yo la que se siente mal.

Por favor, diles a las chicas que siento no poder verlas pasado mañana.

María

PREGUNTAS

8. María escribe a Clara para:
- **a)** Quedar el domingo con ella y otras amigas.
- **b)** Explicarle por qué no puede ir a una cita.
- **c)** Pedirle ayuda.

9. María escribe el correo:
- **a)** Un jueves.
- **b)** Un viernes.
- **c)** Un sábado.

10. El hijo de María no ha ido al colegio:
- **a)** Tres días.
- **b)** Cuatro días.
- **c)** Cinco días.

11. Los niños de María están en casa con:
- **a)** La abuela.
- **b)** La jefa de María.
- **c)** María.

12. María no puede pedir días porque:
- **a)** Tiene mucho trabajo.
- **b)** Su jefa no está.
- **c)** Se va de viaje.

TAREA 3

A continuación va a leer seis anuncios y una pregunta sobre cada uno de ellos. Después, responda a las preguntas, 13-18, marcando la opción correcta, a), b) o c), para cada una.

Texto 1

Aviso a los padres de niños de 1.º de primaria

El próximo lunes, dentro del programa *Higiene y salud*, se va a hacer en la escuela una clase especial sobre higiene bucal. Un dentista va a enseñar a los niños la importancia de la limpieza de los dientes y cómo deben cepillárselos.
Por favor, pongan en la mochila de sus hijos una bolsa con un cepillo y pasta de dientes.
Gracias.

13. El tema de la clase especial es:
- **a)** La importancia del trabajo de dentista.
- **b)** La salud de los niños de primaria.
- **c)** Aprender a lavarse bien los dientes.

Texto 2

Clases de cocina

(para padres que trabajan)

Objetivo: aprender a preparar platos sanos, rápidos, baratos y tan fáciles que hasta un niño puede hacerlos.
Horario: viernes tarde (de 16:00 h a 18:00 h) o sábados mañana (de 10:00 h a 12:00 h).
Inscripción en la Casa de la Cultura (solo mayores de 18 años).

14. El anuncio dice que:
- **a)** Estas clases son para niños.
- **b)** Hay que ir dos veces a la semana.
- **c)** Hay dos opciones de horario.

Texto 3

Vida y salud

Celebra el nº 100 de su revista con una edición especial.
Además de las secciones habituales, en este número se dedican 50 páginas extra a la dieta mediterránea: su historia y sus ventajas para la salud.
Y por solo 1 € más, puede obtener un interesante libro de recetas de todos los países del Mediterráneo.

15. El anuncio dice que:

a) Regalan un libro con la revista.

b) Este número de la revista tiene más páginas.

c) En la revista hay recetas mediterráneas.

Texto 4

Bebé sano: lo que tienes que saber antes de su nacimiento
de la Dra. Soledad Moreno
Prepara a las parejas para ese momento tan importante.
- La alimentación del bebé.
- La ropa más conveniente.
- Su habitación.
- Cómo formar buenos hábitos.

Con más de cien fotos a todo color.

16. Este es el anuncio de:

a) Un programa de radio para bebés.

b) Un libro para padres.

c) Una clínica infantil.

Texto 5

Los remedios de la abuela. ¡Ahora más cerca de ti!

La mejor tienda de medicina natural abre en el centro comercial Los Condes.
Doce horas a tu servicio (de 09:00 h a 21:00 h), siete días a la semana para ofrecerte los mejores productos del mercado y con los precios más baratos.
Y cada jueves de 16:00 h a 19:00 h contaremos con la presencia de un especialista que nos hablará sobre diferentes aspectos relacionados con la salud.

17. En esta tienda, los jueves por la tarde puedo:

a) Consultar mis problemas de salud a un especialista.

b) Escuchar a un especialista hablando de temas de salud.

c) Comprar más barato.

Texto 6

Conferencia de D. Pedro Simón
Comida sana: la base de una buena salud

El doctor Simón, especialista en alimentación del Hospital Provincial de Burgos, va a presentar su libro *Comer bien es un arte*. Seguidamente, en un coloquio se van a contestar las preguntas del público.
Les esperamos el próximo miércoles 17 a las 19:00 h en el salón de actos.
Organiza: la Casa de Cultura de Valdivieso

18. D. Pedro Simón es:

a) Un cocinero.

b) Un médico.

c) Un escritor.

TAREA 4

A continuación va a leer diez textos de una guía sobre las características de algunos alimentos y siete enunciados. Después, seleccione el enunciado, 19-24, que corresponde a cada texto, a)-j). Tiene que seleccionar seis textos.

	ENUNCIADOS	TEXTO
0.	No es mala si no se toma mucha.	a)
19.	Ayudan a no pasar frío.	
20.	Hay tipos que son mejores para la salud que otros.	
21.	Es muy buena para los niños.	
22.	Hay diferentes clases según la época del año.	
23.	Se debe tomar más de una al día.	
24.	Antes eran muy caras.	

a) AZÚCAR

En pequeña cantidad es buena, porque tiene vitaminas del grupo B. Muchos deportistas la usan para recuperarse después de un gran esfuerzo.

b) VERDURAS

Ideales para todo tipo de dietas relacionadas con la salud. Son muy importantes en la cocina mediterránea. Hay verduras características de cada estación.

c) FRUTAS

Son uno de los alimentos más importantes para nuestra salud. Cinco piezas de fruta al día es un seguro contra muchas enfermedades. Contienen vitaminas y antioxidantes que ayudan a mantenernos en buena forma y aportan grandes beneficios a todo el organismo.

d) LEGUMBRES

Excelentes para las personas que quieren perder peso. No contienen grasa y el almidón ayuda a no sentir hambre. Tienen también proteínas, por eso son muy apropiadas para completar una dieta vegetariana.

e) FRUTOS SECOS

Aportan gran cantidad de energía y salud. Son la solución que nos da la madre naturaleza para ayudar a pasar el invierno y a soportar las bajas temperaturas. Sirven como aperitivo y se usan en muchos platos de la cocina vegetariana o para hacer postres.

f) PESCADOS

Contienen gran cantidad de proteínas, vitaminas y minerales y son muy importantes en una dieta equilibrada. Hay que tomarlos varias veces a la semana.

g) **CARNES**

La carne es un alimento muy completo, principalmente por las proteínas que aporta. Hay muchas variedades de carne y es mejor para la salud elegir una con poca grasa.

h) **ESPECIAS**

Muchas de ellas venían de Asia a Europa. Sus propiedades básicamente son: dar sabor, conservar y curar. En la antigüedad llegaban a tener precios muy altos.

i) **LECHE**

El consumo de leche y otros productos lácteos como el queso y el yogur es muy importante, especialmente para los más pequeños. Es un alimento muy importante para los más jóvenes en periodos de crecimiento.

j) **SAL**

Además de ayudar a conservar los alimentos, es necesaria para la vida. Poca sal en la dieta puede producir efectos negativos en la salud.

Adaptado de www.euroresidentes.com

TAREA 5

A continuación va a leer una noticia sobre un problema de salud. Después, conteste las preguntas, 25-30, marcando la opción correcta, a), b) o c), para cada una.

LAS ALERGIAS A LOS ALIMENTOS

Una alergia es un mecanismo de respuesta de nuestro organismo para protegernos de sustancias que se encuentran en algunos alimentos y que pueden ser negativas para la salud.

Cada vez hay un mayor número de personas que las sufren, pero lo más llamativo es que, en los últimos estudios realizados, se ha visto que el número de niños que las padecen va aumentando, quedando la balanza en un 80 % de niños y un 20 % de adultos.

En el desarrollo de las alergias pueden influir factores genéticos y ambientales. Los especialistas dicen que los bebés que no toman leche materna pueden desarrollar, con el paso del tiempo, algunas alergias.

Las alergias, en un 90 % de los casos, están provocadas por un determinado alimento (los huevos, el marisco, la leche, el pescado, etc.) y el único remedio 100 % eficaz es no comerlo. Una reacción alérgica puede aparecer desde el mismo momento en que comemos el alimento hasta una hora o dos más tarde y los síntomas pueden ser poco importantes, que es lo más habitual, o reacciones más serias, que en casos extremos, pueden incluso llegar hasta la muerte.

Dependiendo de la edad, las alergias pueden ser permanentes o pueden desaparecer con el paso del tiempo. En el caso de los niños, los alimentos más comunes que causan alergias son los huevos, el trigo, la leche y la soja. Las alergias en los niños tienen una cosa positiva, y es que en muchos casos es posible que si después de la primera reacción alérgica se dejan de tomar los alimentos que han causado esa reacción, con el paso de los años pueden llegar a desaparecer.

En los adultos, los alimentos que más alergia causan son el marisco, los frutos secos y los pescados. En estos casos, al haberse desarrollado en personas adultas, el organismo se va a defender de estos alimentos para siempre con lo cual la alergia no va a desaparecer nunca.

Si nos encontramos ante una reacción de alergia importante, que puede presentarse con dolores de estómago, desmayos o hinchazón de la boca o garganta, lo primero que deberemos hacer es llamar a la ambulancia. Mientras tanto, debemos acostar a la persona con las piernas levantadas, para facilitar la circulación correcta de la sangre al corazón y a la cabeza.

Adaptado de varias fuentes

PREGUNTAS

25. Este texto podemos encontrarlo en:
- **a)** Un libro de Ciencias Naturales.
- **b)** Una revista de salud.
- **c)** Un libro de recetas de cocina.

26. Según el texto:
- **a)** Las alergias no son muy frecuentes.
- **b)** Todas las alergias son iguales.
- **c)** Hay diferentes tipos de alergias.

27. Las alergias afectan a:
- **a)** Más niños que adultos.
- **b)** Menos niños que adultos.
- **c)** Niños y adultos por igual.

28. Los especialistas dicen que:
- **a)** Algunos bebés tienen alergia a la leche de su madre.
- **b)** Los bebés que toman leche artificial pueden desarrollar alergias.
- **c)** Los bebés tienen muchas alergias.

29. Las alergias en los niños:
- **a)** Son positivas y les ayudan a protegerse.
- **b)** Pueden desaparecer cuando crecen.
- **c)** Son peores que en los adultos.

30. Si una persona tiene una reacción alérgica seria:
- **a)** Debe pedir ayuda.
- **b)** No debe darle importancia.
- **c)** Sufre normalmente dolores de cabeza.

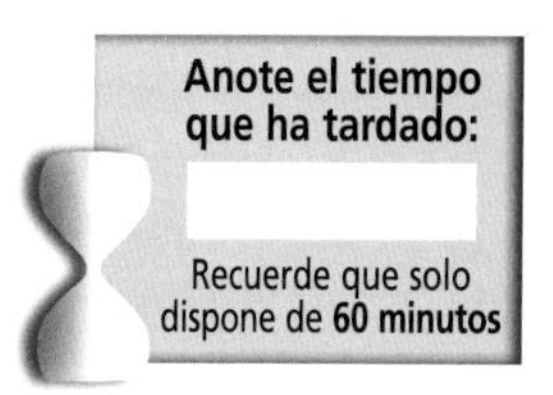

PRUEBA 2

CD I

TAREA 1

A continuación escuchará siete anuncios de radio. Oirá los anuncios dos veces. Después, marque la opción correcta, a), b) o c), para cada pregunta, 1-7.

PREGUNTAS

1. Las farmacias Cruz Blanca:
- **a)** Venden medicamentos sin receta.
- **b)** Son más baratas.
- **c)** Te llevan las medicinas a casa.

2. En ese anuncio se informa de:
- **a)** Una oficina para buscar trabajo.
- **b)** Un centro para hacer ejercicio.
- **c)** Una escuela para aprender idiomas.

3. Si compro esta revista el domingo:
- **a)** Me van a dar un regalo.
- **b)** Voy a pagar menos.
- **c)** Me van a dar otra revista de regalo.

4. El centro Mandrágora está:
- **a)** Cerca del mar.
- **b)** En la playa.
- **c)** Lejos del mar.

5. El programa *Cocinar es fácil* lo presenta:
- **a)** Luis Rincón.
- **b)** Rafael Abasolo.
- **c)** Luis Rincón y Rafael Abasolo.

6. Frescor es una marca de productos para:
- **a)** Niños.
- **b)** Adultos.
- **c)** Niños y adultos.

7. Este anuncio habla de:
- **a)** Bebidas refrescantes.
- **b)** Medicinas naturales.
- **c)** Alimentos sanos y naturales.

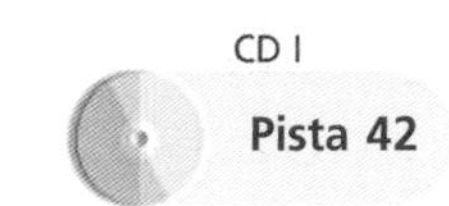

TAREA 2

A continuación escuchará una noticia de radio sobre Argentina. Oirá la noticia dos veces. Después, marque la opción correcta, a), b) o c), para cada pregunta, 8-13.

PREGUNTAS

8. La intención de esta noticia es informar sobre:
a) La política de salud argentina.
b) La apertura de un nuevo hospital.
c) El nuevo ministro de salud argentino.

9. El Hospital Escuela Dr. Ramón Madariaga es:
a) El más grande de Argentina.
b) Un centro público.
c) Privado.

10. El ministro de Salud nació:
a) En la costa argentina.
b) Fuera de Argentina.
c) En la zona del hospital.

11. Sobre el hospital, el ministro dijo que:
a) Era un lugar histórico.
b) Iba va a tener una larga vida.
c) Tenía cien años.

12. Los trabajadores que participaron en la construcción del hospital:
a) Venían de todas las provincias del país.
b) Eran de la provincia en la que está el hospital.
c) No eran argentinos.

13. Según la noticia:
a) Este centro ofrece tres servicios.
b) El hospital solo puede atender a trece mil enfermos.
c) Ahora hay más y mejores servicios de salud.

TAREA 3

A continuación escuchará siete mensajes. Oirá cada mensaje dos veces. Después, seleccione el enunciado, a)-j), que corresponde a cada mensaje, 14-19. Hay diez enunciados. Tiene que seleccionar seis.

	MENSAJES	ENUNCIADO
0.	Mensaje 1	d)
14.	Mensaje 2	
15.	Mensaje 3	
16.	Mensaje 4	
17.	Mensaje 5	
18.	Mensaje 6	
19.	Mensaje 7	

	ENUNCIADOS
a)	Le han cambiado el día.
b)	Prefiere verle otro día.
c)	Ahora no puedo pedir cita.
d)	Ahora no me pueden ayudar.
e)	No está contento con su doctor.
f)	Se puede tener información en Internet.
g)	Mañana no va a ir a trabajar.
h)	Va a ir otra persona.
i)	Ha tenido que llevar a su hijo al médico.
j)	Se lo van a traer.

TAREA 4

A continuación escuchará una conversación telefónica entre la secretaria de un colegio y un padre. Oirá la conversación dos veces. Después, seleccione la opción correcta, a), b) o c), para cada pregunta, 20-25.

PREGUNTAS

20. Esta conversación sucede:
- **a)** Al principio del curso.
- **b)** Al final del curso.
- **c)** Antes de empezar el curso.

21. El hijo del señor:
- **a)** Es la primera vez que va a ir al colegio.
- **b)** Va a cambiar de colegio.
- **c)** Está en el último curso del colegio.

22. El hijo del señor no puede comer:

a)

b)

c)

23. El señor tiene que:
- **a)** Explicar a la empresa de *catering* lo que no puede comer su hijo.
- **b)** Traer un informe médico sobre la alimentación de su hijo.
- **c)** Escribir una lista de alimentos que no puede comer su hijo.

24. El problema del hijo del señor es que:
- **a)** No entiende que no debe comer algunas cosas.
- **b)** No puede jugar con otros niños.
- **c)** Le gusta demasiado el chocolate.

25. La secretaria dice que:
- **a)** Hay un hospital al lado del colegio.
- **b)** En el colegio hay un médico para casos de emergencia.
- **c)** La enfermera todavía no está en el colegio.

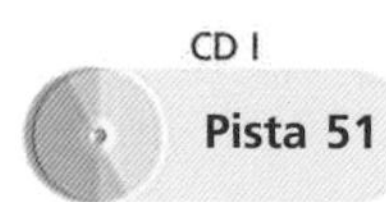

TAREA 5

A continuación escuchará una conversación entre dos personas. Oirá la conversación dos veces. Después, seleccione la imagen, a)-h), que corresponde a cada enunciado, 26-30. Tiene que seleccionar cinco imágenes.

	ENUNCIADOS	IMAGEN
26.	Cuántos hijos tiene Maribel.	
27.	Qué problema tuvo Gema.	
28.	Dónde estuvo Gema.	
29.	Qué le recomendó el médico al hombre.	
30.	Qué deporte practica el hombre.	

a)

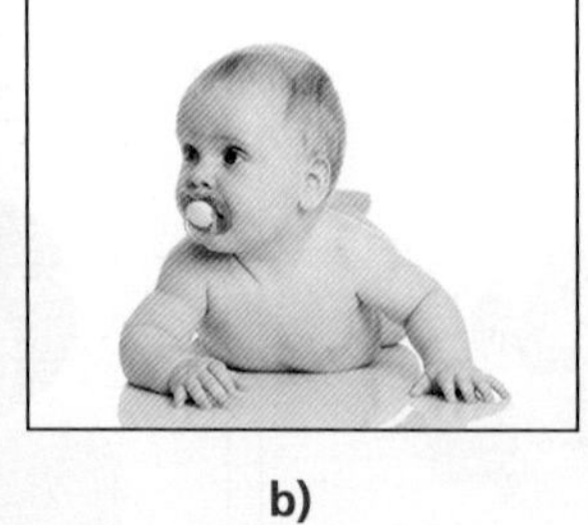
b)

c)

d)

e)

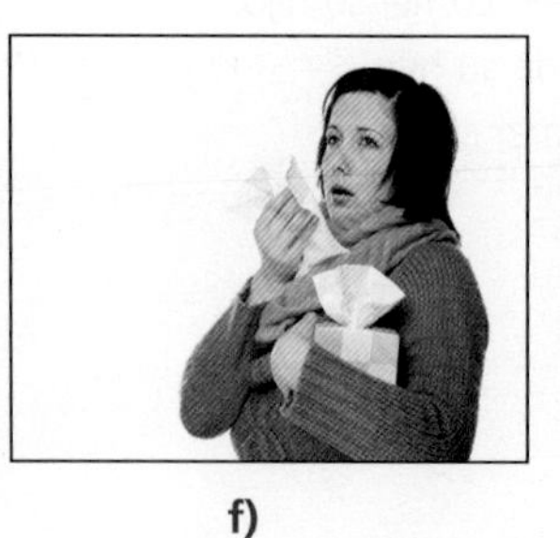
f)

g)

h)

Anote el tiempo que ha tardado:

Recuerde que solo dispone de **35 minutos**

Sugerencias para los textos orales y escritos

APUNTES DE GRAMÁTICA

- Al hablar de las partes del cuerpo no se usa el pronombre posesivo: *Me duele la cabeza.*
- Para hablar del estado físico usamos:
  - *Doler* + parte del cuerpo: *Me duele la espalda.*
  - *Sentirse/Encontrarse* + adverbio: *Se siente cansada. No me encuentro bien.*
  - *Tener* + sustantivo: *Tengo fiebre.*
  - *Estar* + adjetivo: *Estoy cansada.*
- Si queremos hablar del estado físico en el pasado usamos el imperfecto: *Me dolía la cabeza. Tenía fiebre. Me sentía mal.*
- Para expresar la causa usamos *por* y *porque*: *Hago deporte por mi salud. Como verdura porque soy vegetariana.*
- Para hablar de planes usamos *ir a* + infinitivo: *En verano voy a ir a la piscina a nadar.*

HABLAR DEL ESTADO FÍSICO

- ☐ Me duele/n *la cabeza/las piernas.*
- ☐ Tengo dolor de espalda.
- ☐ Tengo tos, fiebre...
- ☐ Estoy *cansado/enfermo.*
- ☐ Me siento mal.

EXPRESAR OBLIGACIÓN, NECESIDAD

- ☐ (No) Tiene que tomar estas pastillas.
- ☐ (No) Hay que dormir 8 horas diarias.
- ☐ (No) Es necesario hacer más ejercicio.

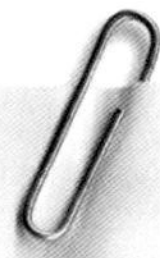

ACONSEJAR

- ☐ Puede correr todas las mañanas.
- ☐ *Tiene/Hay que* hacer más ejercicio.
- ☐ Es mejor comer verduras.
- ☐ Es *necesario/importante/conveniente* lavarse los dientes después de comer.
- ☐ Coma despacio.

PRUEBA 3

Expresión e interacción escritas

Tiempo disponible para toda la prueba.

TAREA 1

Usted es nuevo en el barrio. Escriba un correo electrónico a su centro de salud para pedir información. En él debe preguntar:

- Cuál es el horario del centro de salud.
- Qué debe hacer para tener su tarjeta sanitaria.
- Cuál es el teléfono de urgencias.

Número de palabras: entre 30 y 40.

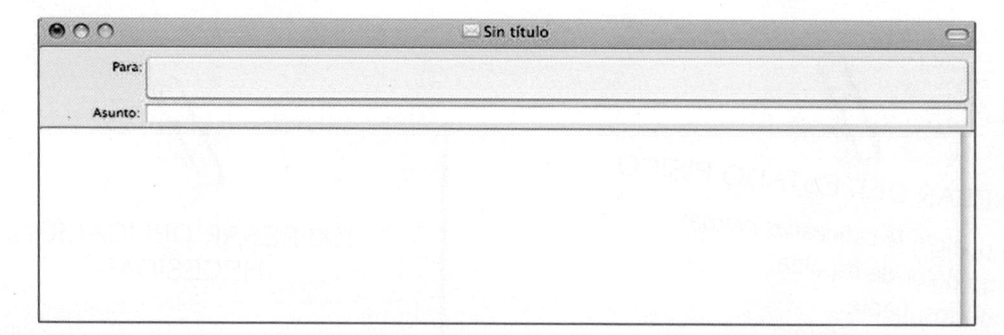

TAREA 2

Usted ha estado enfermo recientemente. Escriba un correo electrónico a un amigo. En él debe:

- Explicarle qué enfermedad ha tenido y cómo se sentía.
- Contarle qué medicinas ha tomado o a qué médicos ha ido.
- Explicarle qué le ha aconsejado el médico.
- Decirle cuáles son sus planes ahora que ya está bien.

No olvide saludar y despedirse.
Número de palabras: entre 70 y 80.

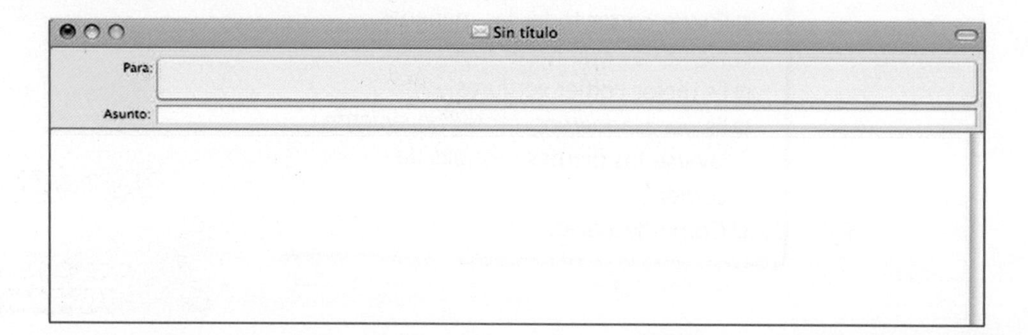

TAREA 3

Aquí tiene las fotos de un curso de alimentación y cocina sana que ha hecho usted recientemente. Participe en el foro del curso y escriba un comentario explicando:

- Por qué decidió hacer este curso.
- Qué ha aprendido en él.
- Qué le pareció el centro que organizaba el curso y el profesor.

Número de palabras: entre 70 y 80.

Curso de alimentación y cocina sana

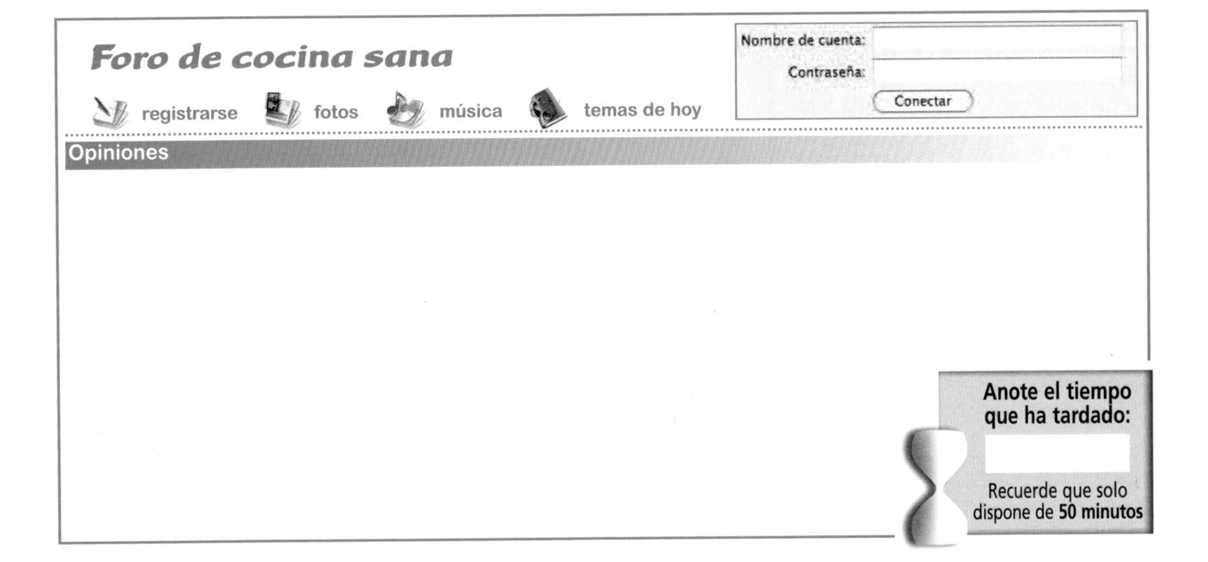

PRUEBA 4

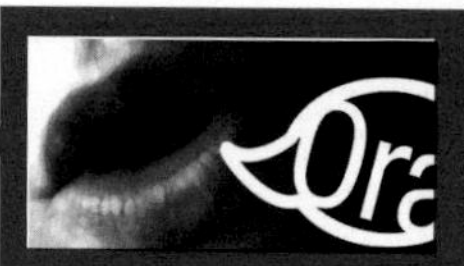

Expresión e interacción orales

Tiempo de preparación de la prueba.

Tiempo disponible para las cuatro tareas.

TAREA 1

EXPOSICIÓN DE UN TEMA: MONÓLOGO

Usted tiene que hablar ante el entrevistador sobre cómo mantenerse sano durante 3 o 4 minutos. Elija uno de los aspectos que se le proponen.

CÓMO MANTENERSE SANO

Medicina convencional

- ¿Tiene usted muchos problemas de salud?
- ¿Va frecuentemente al médico? ¿A qué especialista?
- ¿Tiene que tomar alguna medicina regularmente?
- ¿Alguna vez le han operado?
- ¿Hay un buen sistema de Seguridad Social en su país?

Ejercicio físico, aeróbic, pilates...

- ¿Practica aeróbic o algún tipo de ejercicio físico para mantenerse sano?
- ¿Dónde lo practica?
- ¿Hace deporte solo o con amigos/familia?
- ¿Cree que el ejercicio físico es bueno para solucionar problemas de salud? ¿Cuáles?

Medicina natural

- ¿Qué piensa de la medicina natural? ¿La usa? ¿En qué ocasiones?
- ¿Cree que es mejor que la convencional?
- ¿Piensa que sirve para tratar todas las enfermedades? ¿En qué casos cree que no sirve?
- En su país, ¿la gente es aficionada a la medicina natural?
- ¿Hay muchos centros o tiendas de este tipo de medicina?

Yoga

- ¿Practica o ha practicado yoga alguna vez? ¿Por qué?
- En caso afirmativo: ¿cómo se siente cuando lo practica?
- ¿Qué opina de este tipo de terapias?
- ¿Qué piensa usted de las personas que practican estas terapias?

TAREA 2

DESCRIPCIÓN DE UNA FOTO

Usted tiene que describir la siguiente fotografía durante 2 o 3 minutos.

Ejemplos de preguntas para la descripción

- ¿Qué ve en la foto?
- ¿Quiénes son las personas que ve?
- ¿Cómo son físicamente? ¿Cómo van vestidos?
- ¿Dónde están? ¿Por qué? ¿Cómo es el lugar?
- ¿Cuál cree que es el problema de la señora?
- ¿Qué cree que le dice la doctora?

TAREA 3

SIMULACIÓN: DIÁLOGO CON EL ENTREVISTADOR

Imagine que está usted en la consulta del médico porque tiene un problema de salud. Hable con él durante 2 o 3 minutos.

Modelo de conversación

1. Inicio

EXAMINADOR:
Hola, *buenos días/buenas tardes*
CANDIDATO:
Hola...
EXAMINADOR:
Dígame. ¿Qué le pasa?
CANDIDATO: *explicar qué le pasa.*
Tengo un problema...

2. Fase de desarrollo

EXAMINADOR:
¿Tiene fiebre?
CANDIDATO: *hablar de los síntomas.*
Pues....
EXAMINADOR:
¿En qué momento del día se siente peor?
CANDIDATO:
Normalmente...
EXAMINADOR:
¿Tiene usted alergia a alguna medicina?
CANDIDATO:
...
EXAMINADOR:
Bien, pues va a tomar usted...

3. Despedida y cierre

EXAMINADOR:
Pues eso es todo.
CANDIDATO:
...

TAREA 4

SIMULACIÓN: CONVERSACIÓN CON EL ENTREVISTADOR

Usted deberá conversar con el entrevistador durante 3 o 4 minutos según la información que hay en su ficha.

FICHA A: EXAMINADOR

Usted y un amigo quieren practicar algún ejercicio para mejorar su salud y estar en forma. Usted prefiere ir a un gimnasio especializado, pero su amigo prefiere hacerlo por su cuenta.

Debe:

1. Decir a su amigo que prefiere ir a un gimnasio.
2. Explicar por qué prefiere practicar deporte en un centro especializado.

☺ IR A UN GIMNASIO	☹ HACER EJERCICIO POR SU CUENTA
- Hay monitores expertos que nos aconsejan qué ejercicio es adecuado para nosotros. - Hay más variedad de actividades. - Hay muchos aparatos y salas especiales. - Tenemos un horario.	- No sabemos qué ejercicio es mejor para cada parte del cuerpo. - No tenemos un horario concreto y al final no vamos a hacer nada. - Es más aburrido: estamos solos.

3. Llegar a un acuerdo con su amigo.

FICHA B: CANDIDATO

Usted y un amigo quieren practicar algún ejercicio para mejorar su salud y estar en forma. Usted prefiere hacerlo por su cuenta en casa, pero su amigo prefiere ir a un gimnasio.

Debe:

1. Decir a su amigo que prefiere hacer ejercicio por su cuenta.
2. Explicar por qué prefiere hacer ejercicio de forma particular.

☺ HACER EJERCICIO POR SU CUENTA	☹ IR A UN GIMNASIO
- Más libertad: podemos adaptar el ejercicio a nuestros horarios y gustos. - Más barato: no hay que pagar dinero cada mes.	- Más aburrido: hay que hacer lo que dice el monitor y a veces no nos gusta. - Más caro: los gimnasios cuestan mucho dinero.

3. Llegar a un acuerdo con su amigo.

examen 4

LOS ESTUDIOS Y LA CULTURA

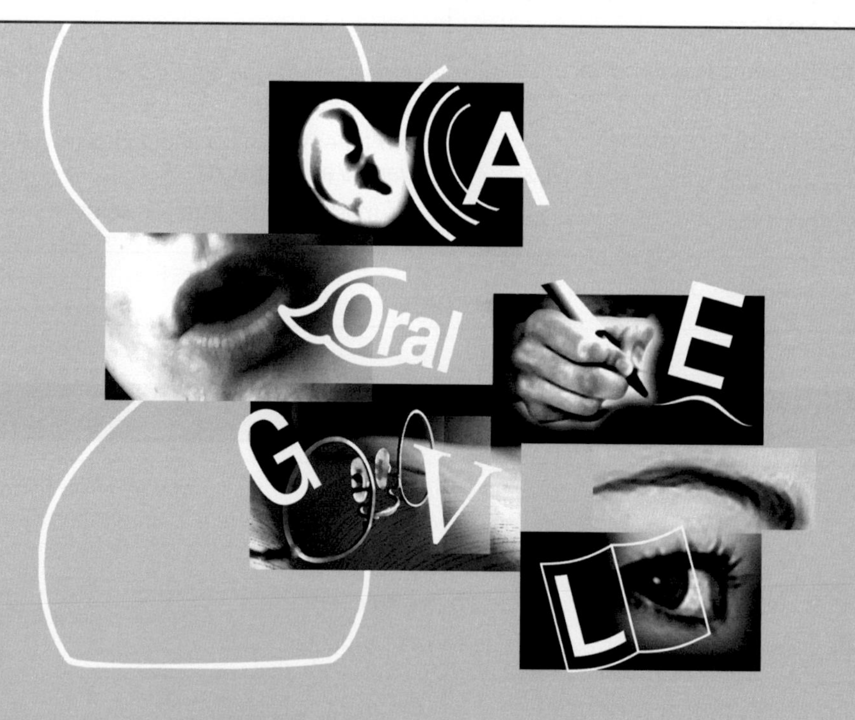

Te recomendamos este libro para ampliar el vocabulario del español de España y variantes de México y Argentina.

VOCABULARIO

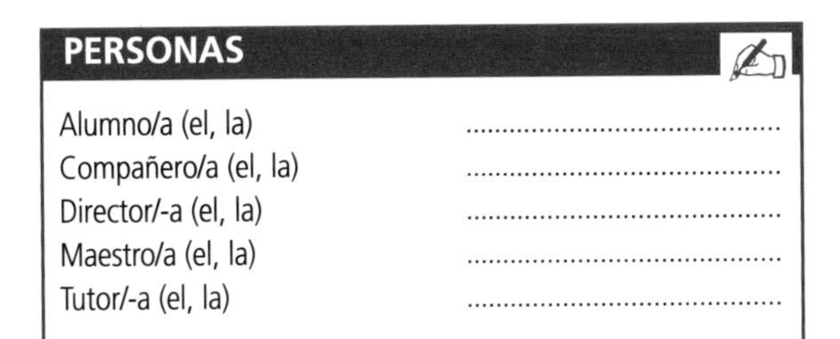

PERSONAS

Alumno/a (el, la) ....
Compañero/a (el, la) ....
Director/-a (el, la) ....
Maestro/a (el, la) ....
Tutor/-a (el, la) ....

ESTUDIOS

Arte (el) ....
Derecho (el) ....
Enfermería (la) ....
Física (la) ....
Geografía (la) ....
Historia (la) ....
Ingeniería (la) ....
Informática (la) ....
Literatura (la) ....
Matemáticas (las) ....
Medicina (la) ....
Química (la) ....
Trabajo social (el) ....

VARIOS

Academia (la) ....
Agenda (la) ....
Archivador (el) ....
Aula (el) ....
Beca (la) ....
Borrador (el) ....
Carrera (la) ....
Certificado (el) ....
Colegio (el) ....
Cuaderno (el) ....
Departamento (el) ....
Diploma (el) ....
Escuela (la) ....
- de idiomas ....
- de *ballet* ....
- de música ....
Facultad (la) ....
Fotocopiadora (la) ....
Hoja (la) ....
Impresora (la) ....
Laboratorio (el) ....
Matrícula (la) ....
Programa de curso (el) ....
Redacción (la) ....
Regla (la) ....

VERBOS

Aprobar ....
Completar ....
Dar clases ....
Dibujar ....
Enseñar ....
Examinarse ....
Hacer ....
- un curso ....
- una redacción ....
Matricularse ....
Memorizar ....
Repasar ....
Suspender ....

MÚSICA

Canción (la) ....
Concierto (el) ....
Instrumento (el) ....
Flamenco (el) ....
Guitarra (la) ....
Jazz (el) ....
Ópera (la) ....
Piano (el) ....
Pop (el) ....
Rock (el) ....
Salsa (la) ....
Tango (el) ....
Violín (el) ....
Musical (el) ....
Músico (el) ....

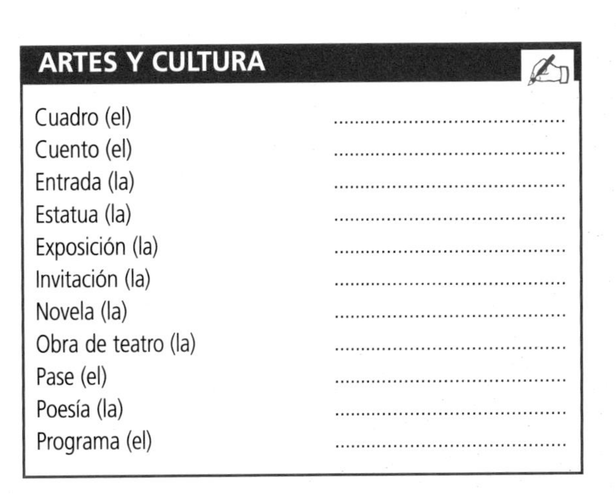

ARTES Y CULTURA

Cuadro (el) ....
Cuento (el) ....
Entrada (la) ....
Estatua (la) ....
Exposición (la) ....
Invitación (la) ....
Novela (la) ....
Obra de teatro (la) ....
Pase (el) ....
Poesía (la) ....
Programa (el) ....

PRUEBA 1

Comprensión de lectura

Tiempo disponible para toda la prueba.

TAREA 1

A continuación va a leer ocho enunciados (incluido el ejemplo) y diez textos. Después, seleccione el texto, a)-j), que corresponde a cada enunciado, 1-7. Tiene que seleccionar siete textos.

	ENUNCIADOS	TEXTO
0.	Se pueden saber ya las notas.	a)
1.	Hay que llamar solo por la tarde.	
2.	Es posible estudiar por la tarde.	
3.	Quiere dar clases particulares.	
4.	No hay que pagar para asistir.	
5.	Hay que dar el dinero hoy.	
6.	Van a cambiar de clase.	
7.	Tienen que llevar comida y bebida.	

TEXTOS

a)

ATENCIÓN: los alumnos que se presentaron a las pruebas para obtener el Diploma de Español DELE en la pasada convocatoria de mayo ya pueden ver los resultados en Internet.

El jefe de estudios de español

b)

Colegio Quevedo 

Actividad: Excursión
El próximo lunes los alumnos de 1.º de ESO van a hacer una excursión al Parque Natural de Navafría.
Hay que llevar bocadillos y algo para beber. Gracias.

La dirección

c)

Academia de idiomas Aprendeidiomas busca profesores de inglés y francés con experiencia y flexibilidad de horario. Interesados enviar urgentemente currículum y foto reciente a aprendeidiomas@infonet.com.

d)

Aviso a los estudiantes de 1.º de Bachillerato

Por problemas en las instalaciones, solo durante la próxima semana la clase de Literatura pasa al aula 14. El inglés sigue en el aula 12.

La dirección del centro

e)

Centro cívico Los Castillos
organiza la exposición

Maestros de la luz y de la sombra
Horario: martes a sábado de 10:00 a 14:00 y 17:00 a 21:00.

Entrada gratuita.

f)

Estudiante de 2º curso de Económicas se ofrece para dar Matemáticas a alumnos de ESO y Bachillerato. Grupos o individual. Mañanas.

Teléfono: 912345467 (Alfonso)

g)

Nota informativa

Los cursos de diseño gráfico, fotografía y documentación de la mañana están completos. Hay plazas libres en los de la tarde.

Preguntar en secretaría.

h)

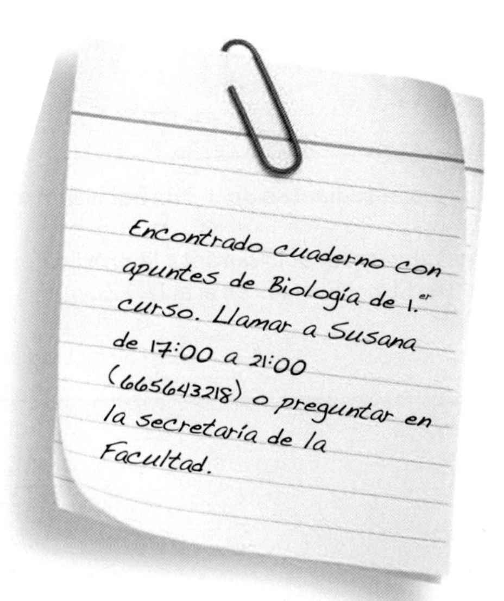

i)

Concierto de música fusión

El próximo viernes 12 y con motivo del final del curso, el Departamento de Música va a ofrecer un concierto para todos los alumnos del centro en el que se van a mezclar diferentes estilos musicales.

¡No os lo perdáis!

j)

Historia del Arte

Aviso a los alumnos

Los que ya se han apuntado para visitar el Museo del Prado el próximo jueves tienen que entregar hoy, sin falta, 5 € en secretaría para el transporte.

Gracias.
La tutora.

TAREA 2

A continuación va a leer la carta que Mónica ha escrito a Ricardo. Después, conteste las preguntas, 8-12, marcando la opción correcta, a), b) o c), para cada una.

Londres, 7.06.2010

¡Hola, Ricardo!
¡Por fin! Te escribo desde Londres. Llegué el 1 de junio y vivo con una familia inglesa en una casa muy bonita y cómoda. Tiene un pequeño jardín. Mi habitación es preciosa. El único problema es que no está muy cerca de la escuela.

La familia es muy agradable: los padres son encantadores y tienen dos hijas, Sarah y Susan. Susan es más o menos de mi edad, pero trabaja y está muy ocupada siempre. Sarah es un poco menor, pero nos hemos hecho muy amigas y muchas veces salgo con ella y su grupo los fines de semana y así practico mi inglés no solo en clase.

Las clases son divertidas y hay gente de todo el mundo, así que es muy interesante, pero tengo que trabajar bastante todos los días, porque nos ponen muchos deberes. Además, como los grupos son pequeños, tenemos que hablar todo el tiempo.

Otra cosa buena de la escuela es que hay actividades culturales: el mes pasado estuvimos en Bath y Stonehenge; este mes vamos a ir a Oxford y el último mes vamos a hacer un viaje al norte de Inglaterra.
Te veo a mi vuelta, en septiembre. Un beso,

Mónica

PREGUNTAS

8. Mónica ha ido a Londres para:
- **a)** Aprender inglés.
- **b)** Conocer el país.
- **c)** Cuidar a unas niñas.

9. Mónica va a estar en Inglaterra:
- **a)** Un año.
- **b)** Un mes.
- **c)** Tres meses.

10. El problema de la casa es que:
- **a)** Está lejos del centro de estudios.
- **b)** Es pequeña para cinco personas.
- **c)** Es fea aunque tiene jardín.

11. Mónica dice de Sarah que:
- **a)** Es mayor que ella.
- **b)** Es más pequeña.
- **c)** Tienen la misma edad.

12. Mónica dice que en su clase:
- **a)** Hay muchos estudiantes.
- **b)** Sus compañeros hablan demasiado.
- **c)** Practica mucho.

TAREA 3

A continuación va a leer seis anuncios y una pregunta sobre cada uno de ellos. Después, responda las preguntas, 13-18, marcando la opción correcta, a), b) o c), para cada una.

Texto 1

CONCURSO DE DIBUJO

La universidad de mayores de Alcobendas invita a todos sus alumnos (mayores de 60 años) a participar en el III Concurso de pintura de primavera.
- El tema es libre y puede usarse cualquier técnica.
- El dibujo debe realizarse en el aula en presencia de un profesor.

Premio: material de pintura valorado en 100 €. El plazo termina el 15 de mayo.

13. En este concurso:

a) Hay que pintar algo relacionado con la primavera.
b) Solo pueden participar alumnos de más de 60 años.
c) Hay que pagar 100 € para participar.

Texto 2

¿Quieres aprender flamenco, tango, salsa, *ballet, hip hop*...?
En academia de baile **Faralaes** puedes aprender bailes tradicionales hispanos, así como baile clásico y contemporáneo.
- Clases de 45 minutos dos veces por semana de septiembre a junio.
- Diferentes grupos según edad y experiencia.
- Clases de iniciación al baile desde los cuatro años.

¡Apúntate ya!
Información en www.faralaes.es o en el 938970909

14. En esta academia:

a) Solo se aprenden bailes folklóricos.
b) Hay clases para niños.
c) Hay que tener experiencia.

Texto 3

El grupo de teatro clásico **Siglo de Oro** presenta:
Los balcones de Madrid, de Tirso de Molina.
"Una muestra del feminismo de nuestros clásicos"
De martes a sábado a las 20:00 h. Miércoles 25 % de descuento.
Reservas en www.telentrada.com
(mayores de 16 años)

15. La obra que se anuncia en la cartelera:

a) No se puede ver el miércoles.
b) Se puede ver durante toda la semana.
c) No la pueden ver los niños.

Texto 4

Si no encuentra el libro de texto que necesita, venga a la librería especializada Magallanes.

Más de 30 años vendiendo libros de primaria y secundaria a estudiantes.
No espere al último minuto para tener los libros de sus hijos. Resérvelos en junio y consiga un descuento del 5 %.
Vale descuento en material escolar por la reserva de libros para dos o más cursos.

16. En esta librería:

a) Si compro libros de texto, me hacen descuento.
b) Venden todos los libros más baratos.
c) Solo venden libros de texto.

Texto 5

Instrucciones para solicitar ayudas de estudios:

- Los impresos deben descargarse de la página web.
- Todas las solicitudes se deben presentar en el pabellón de alumnos.
- La solicitud de ayuda se debe entregar después de hacer la matrícula: el mismo día o durante los dos días siguientes.

Universidad Popular

Si necesita alguna aclaración más, escríbanos a la dirección de correo electrónico que la universidad facilita a sus alumnos. En el asunto debe indicar el motivo de su correo.

17. Si necesito información sobre estas ayudas, tengo que:

a) Visitar la sección de *ayudas* de su página web.
b) Pedirla a través del correo electrónico.
c) Ir al pabellón de alumnos de la universidad.

Texto 6

La escuela municipal de música **Allegro** quiere acercar la música a todos a través de diferentes áreas:

- Música y movimiento: para sensibilizar a los más pequeños (de 4 a 6 años).
- Enseñanza instrumental: amplia variedad de instrumentos (a partir de 6 años).
- Agrupaciones: disfrutar la música como lugar de encuentro (todas las edades).

Al final de cada curso, los alumnos ofrecen un concierto para mostrar lo que han aprendido.

18. Según el anuncio, en esta escuela:

a) Hay conciertos infantiles de música y movimiento.
b) Solo pueden estudiar instrumentos los mayores de 6 años.
c) Los alumnos pueden escuchar conciertos.

TAREA 4

A continuación va a leer diez textos de un directorio de escuelas de Español Lengua Extranjera y siete enunciados. Después, seleccione el enunciado, 19-24, que corresponde a cada texto, a)-j). Tiene que seleccionar seis textos.

	ENUNCIADOS	TEXTO
0.	Su metodología es moderna.	a)
19.	Se aprende rápido.	
20.	Tiene material audiovisual.	
21.	Solo tienes cuatro compañeros.	
22.	Da clases de otros idiomas.	
23.	Hay escuelas en Europa y en América.	
24.	Se aprende con el ordenador.	

a) Academia España Abierta

Su éxito se basa en la profesionalidad y dedicación de los profesores, jóvenes licenciados en Filología, especializados en la enseñanza del español para extranjeros y conocedores de las técnicas más actuales en la enseñanza de la lengua. Visita su web: www.acaespaña.es.

b) Escuela Cuzco Idiomas Modernos

Ofrece la oportunidad de aprender español en Cuzco, la capital del imperio inca, vivir con una familia peruana y al mismo tiempo ayudar a los más necesitados de la comunidad a través de su programa de voluntariado. Más información en www.cuzcoidiomas.com.

c) Escuela Conversar sin fronteras

Su oferta consiste en cursos compuestos por tres lecciones de gramática conversacional y dos lecciones de conversación práctica. Las clases tienen un máximo de cinco estudiantes y todos los profesores son nativos. Infórmese en www.conversarsinfronteras.com.

d) Escuela de idiomas Bariloche

Situada en Bariloche, esta escuela ofrece clases de conversación a través del vídeo y DVD. Todos los estudiantes tienen acceso gratuito a Internet. También hay un salón de actos donde se desarrollan actividades culturales durante la semana. www.españolenbariloche.com.

e) Academia México ¡Sí!

Esta nueva escuela ofrece un sistema revolucionario con el que los estudiantes aprenden español en un corto periodo de tiempo mientras están inmersos en la cultura mexicana. La mejor oportunidad de estudiar en contexto. Más información en www.mexicosi.com.

f) Centro de idiomas Aprender

Amplia oferta de cursos de español extensivos e intensivos, además de variadas actividades extracurriculares. Posibilidad de alojarse con familias locales. Hay cursos para niños desde los 4 años de edad. Entra en www.aprenderaprender.com.

g) Idiomas multimedia

Para aprender español a través de diferentes soportes multimedia (uso de PDI, participación en *blogs*, etc.), con muchos y variados ejercicios interactivos. Los diferentes niveles presentan la gramática gradualmente a través de distintas actividades y ejemplos explicativos con sus soluciones. Entra en www.multidiomatic.com.

h) Escuela internacional de idiomas Abc

En pleno centro de la capital, esta escuela, acreditada por el Instituto Cervantes y centro examinador del DELE, ofrece gran variedad de horarios y cursos de preparación para pasar el examen DELE.
Además de español para extranjeros, ofrece clases de inglés, francés y alemán. Más información en www.abcmadrid.com.

i) Centro internacional Español en el mundo

Esta amplia red de escuelas de español tiene sedes a los dos lados del Atlántico. Sus eficaces métodos de enseñanza *one to one* permiten aprender de un modo muy agradable y sin presión. Infórmate en www.españolenelmundo.com.

j) Idiomas a domicilio

Especialistas en clases de español en el propio domicilio y en empresas. Posibilidad de estudiar en grupo o de forma individual. Todos los niveles. Flexibilidad de horarios. Entra en www.profesadomicilio.com.

Adaptado de varias fuentes

TAREA 5

A continuación va a leer una noticia sobre una exposición en el Museo del Prado. Después, conteste las preguntas, 25-30, marcando la opción correcta, a), b) o c), para cada una.

EXPOSICIÓN DE SOROLLA EN EL PRADO

Entre el 26 de mayo y el 6 de septiembre, se puede ver, en el Museo del Prado, la exposición de Joaquín Sorolla.

Organizada con la colaboración de Bancaja, se trata de la mayor y más importante exposición antológica que se ha dedicado nunca a Joaquín Sorolla, el pintor español más famoso internacionalmente del siglo XIX.

Entre los ciento dos cuadros reunidos, se incluyen todas las obras maestras del artista, procedentes de diferentes museos y colecciones. Como es lógico, en la exposición también se pueden ver los cuadros del artista que se conservan en el Museo del Prado.

Esta exposición es irrepetible por el gran número de obras maestras del artista reunidas, entre las que destacan los catorce monumentales paneles de *Las visiones de España*, pintados por Sorolla para la Hispanic Society of America de Nueva York, desde donde han viajado por vez primera en su historia gracias al acuerdo de Bancaja con la Hispanic. Debido a su gran importancia y tamaño, estas obras ocupan una sala completa de las cuatro en las que se presenta la exposición.

Durante los últimos años, la figura de Sorolla ha sido objeto de atención, pero desde la exposición dedicada al artista que se celebró en 1963 en las salas del Casón del Buen Retiro, no se había hecho ninguna de estas características.

La exposición tiene una organización temática para resaltar la importancia de diferentes temas a lo largo de la carrera del artista. Por ejemplo, en un mismo espacio se han reunido los cuadros de pintura social que le dieron tanta fama al final del siglo XIX, entre los que destaca *La vuelta de la pesca* (1894), procedente del Musée d'Orsay de París o *Cosiendo la vela* (1896), de la Galleria Internazionale d'Arte Moderna de Venecia.

A continuación, un gran conjunto de retratos indica la influencia de Velázquez en sus composiciones durante los primeros años del siglo XX.

En otro lugar se exhiben sus mejores escenas de playa, pintadas en 1908 y 1909.

El catálogo de la exposición, con edición en español y en inglés, tiene más de de quinientas páginas y muchas ilustraciones a todo color. Incluye, además, cuatro ensayos realizados por los principales expertos en la obra del artista. Se puede comprar *on-line*, a través de la Tienda Prado en Internet, www.tiendaprado.com, con un 5 % de descuento sobre el precio de las tiendas del museo.

Adaptado de varias fuentes

PREGUNTAS

25. Los cuadros que se pueden ver en esta exposición:
- **a)** Son del Museo del Prado.
- **b)** Vienen de diferentes partes del mundo.
- **c)** Los han traído desde Nueva York.

26. La noticia dice que:
- **a)** Esta es la primera exposición que se ha hecho de Sorolla.
- **b)** Solo ha habido una exposición de Sorolla como esta antes.
- **c)** Nunca se ha dado mucha importancia a la obra de Sorolla.

27. Los catorce paneles de *Las visiones de España*:
- **a)** Solo se pueden ver en América.
- **b)** Es la primera vez que salen de la Hispanic Society.
- **c)** Los ha comprado Bancaja.

28. La exposición ocupa:
- **a)** Todo el museo.
- **b)** Cuatro salas del museo.
- **c)** Una sala completa del museo.

29. La noticia dice que:
- **a)** Sorolla siempre pintaba el mismo tema.
- **b)** Los cuadros de temas sociales hicieron famoso a Sorolla.
- **c)** Sorolla pintó varios retratos de Velázquez.

30. El catálogo de la exposición:
- **a)** Se compra en el propio museo y por Internet.
- **b)** Es muy barato.
- **c)** Tiene quinientas fotografías.

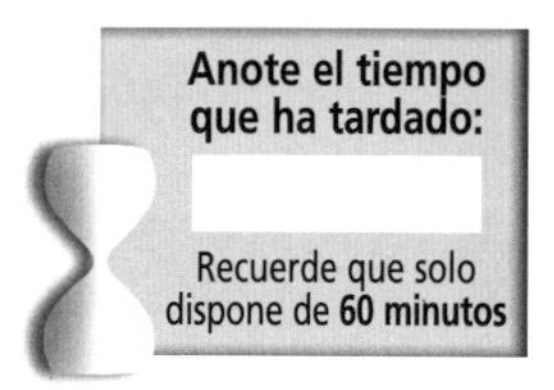

PRUEBA 2

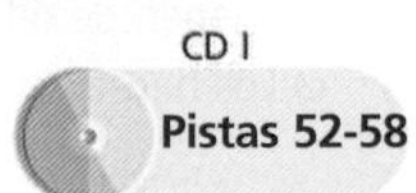

TAREA 1

A continuación escuchará siete anuncios de radio. Oirá los anuncios dos veces. Después, marque la opción correcta, a), b) o c), para cada pregunta, 1-7.

PREGUNTAS

1. Esta papelería hace un descuento a:
- **a)** Los arquitectos.
- **b)** Los que cumplen 25 años.
- **c)** Los alumnos de Arquitectura.

2. La obra de la que habla el anuncio es:
- **a)** Romántica.
- **b)** Cómica.
- **c)** Dramática.

3. Después de hacer este curso:
- **a)** Se puede hacer el examen de la Escuela Oficial de Idiomas.
- **b)** Hay que hacer un examen oficial.
- **c)** Se puede hacer otro curso.

4. Esta es una colección de libros:
- **a)** Para toda la familia.
- **b)** Para aprender español.
- **c)** Nueva.

5. Esta revista:
- **a)** Cuesta tres euros.
- **b)** Sale una vez a la semana.
- **c)** Contiene fotos en color.

6. Esta escuela es:
- **a)** Para niños menores de seis años.
- **b)** Para niños con problemas.
- **c)** De formación de maestros.

7. Para tener el libro de regalo hay que:
- **a)** Ir a la librería.
- **b)** Escribir una redacción.
- **c)** Ganar un concurso de fotos.

CD I
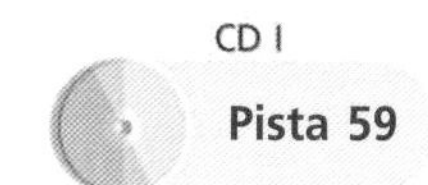

TAREA 2

A continuación escuchará una noticia de radio sobre la Universidad Internacional Menéndez Pelayo. Oirá la noticia dos veces. Después, marque la opción correcta, a), b) o c), para cada pregunta, 8-13.

PREGUNTAS

8. La intención de esta noticia es:
- **a)** Hacer publicidad de los estudios en la Universidad Internacional Menéndez Pelayo.
- **b)** Hablar sobre diferentes actos en la Universidad Internacional Menéndez Pelayo.
- **c)** Anunciar la creación de una nueva universidad.

9. La noticia habla de acontecimientos que:
- **a)** Van a pasar en el futuro.
- **b)** Ya han pasado.
- **c)** Están pasando en este momento.

10. El taller sobre la radio pública:
- **a)** Se celebra en América.
- **b)** Trata sobre el terrorismo.
- **c)** Lo prepara Radio Nacional de España.

11. Los encuentros sobre educación son:
- **a)** Antes del taller sobre la radio.
- **b)** Al mismo tiempo que el taller sobre la radio.
- **c)** Después del taller sobre la radio.

12. La universidad organiza también cursos para:
- **a)** Alumnos de primaria.
- **b)** Profesores iberoamericanos.
- **c)** Maestros de primaria.

13. Según la noticia:
- **a)** Los cursos se hacen por Internet.
- **b)** Se puede hacer la matrícula por Internet.
- **c)** Todos los cursos cuestan igual.

CD I

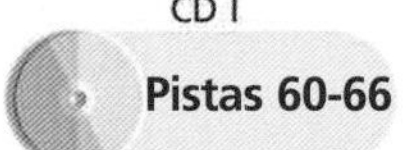

TAREA 3

A continuación escuchará siete mensajes. Oirá cada mensaje dos veces. Después, seleccione el enunciado, a)-j), que corresponde a cada mensaje, 14-19. Hay diez enunciados. Tiene que seleccionar seis.

	MENSAJES	ENUNCIADO
0.	Mensaje 1	b)
14.	Mensaje 2	
15.	Mensaje 3	
16.	Mensaje 4	
17.	Mensaje 5	
18.	Mensaje 6	
19.	Mensaje 7	

	ENUNCIADOS
a)	No se puede tener el teléfono conectado.
b)	Están de vacaciones.
c)	No va a verle.
d)	Puede ir el fin de semana.
e)	No le ha gustado.
f)	Van a viajar juntos.
g)	Falta uno.
h)	No pueden hacerlo.
i)	Prefiere comprar otro.
j)	Está muy ocupada.

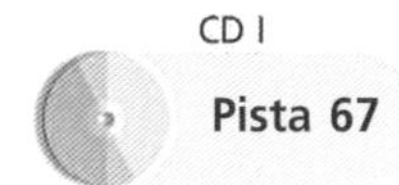

TAREA 4

A continuación escuchará una conversación telefónica entre el recepcionista de una academia y una señora. Oirá la conversación dos veces. Después, seleccione la opción correcta, a), b) o c), para cada pregunta, 20-25.

PREGUNTAS

20. Esta conversación sucede:
- **a)** Al principio del verano.
- **b)** En septiembre.
- **c)** En invierno.

21. El hijo de la señora:
- **a)** Ha aprobado las Matemáticas y la Biología.
- **b)** Tiene que examinarse de Matemáticas y Biología.
- **c)** Es profesor de Matemáticas y Biología.

22. La señora piensa que las clases de Matemáticas son:
- **a)** Demasiado pronto.
- **b)** Muy difíciles.
- **c)** Muy largas.

23. Las clases de Biología:
- **a)** Son más caras.
- **b)** Son muy aburridas.
- **c)** Tienen pocos estudiantes.

24. Entre la clase de Matemáticas y la de Biología el hijo de la señora puede estar en:

a)

b)

c)

25. La señora tiene que pagar:
- **a)** 100 € al mes por cada asignatura.
- **b)** Más dinero por Biología que por Matemáticas.
- **c)** Menos si paga dos meses juntos.

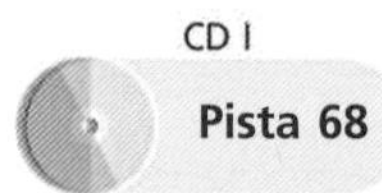

TAREA 5

A continuación escuchará una conversación entre dos amigos. Oirá la conversación dos veces. Después, seleccione la imagen, a)-h), que corresponde a cada enunciado, 26-30. Tiene que seleccionar cinco imágenes.

	ENUNCIADOS	IMAGEN
26.	Lugar de la conversación.	
27.	Instrumento que toca la amiga.	
28.	El curso que está haciendo la señora.	
29.	El trabajo del señor.	
30.	El animal del señor.	

a)

b)

c)

d)

e)

f)

g)

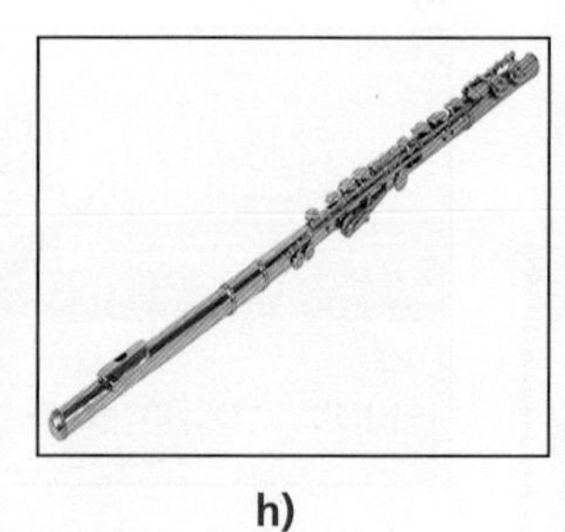
h)

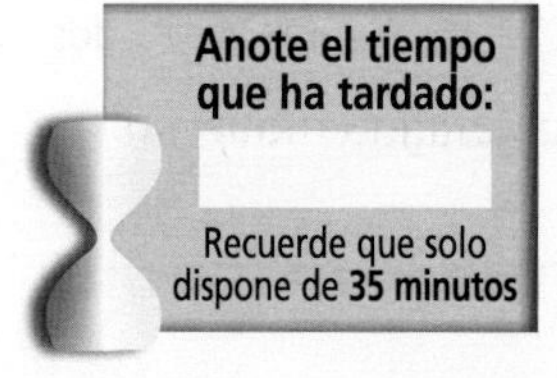

Sugerencias para los textos orales y escritos

APUNTES DE GRAMÁTICA

- Usamos el pretérito perfecto para:
  - Hablar de cosas que han sucedido recientemente: *Esta semana he hecho un examen.*
  - Valorar acciones: *Me ha encantado.*
- Algunos participios irregulares: *hecho, dicho, puesto, visto, escrito.*
- Para valorar se usa *muy, bastante, un poco*: *Las clases de ciencias son muy interesantes.*
- Para expresar finalidad usamos *para*: *Estudio español para trabajar en Málaga.*
- Para preguntar por cosas de la misma categoría usamos *qué* + sustantivo y *cuál* + verbo: *¿Qué libros prefieres? ¿Cuál te gusta más?*

PREGUNTAR POR PREFERENCIAS

- □ ¿Qué *prefiere/le gusta/le interesa* más?
- □ ¿Cuál *prefiere/le gusta/le interesa*?
- □ ¿Qué tipo de... *prefiere/le gusta/le interesa*?
- □ ¿Cuál/Quién es su... *preferido/favorito*?

HABLAR DE ESPECTÁCULOS

- □ El programa *se titula/se llama...*
- □ El título del programa es...
- □ La película trata de...
- □ Lo *ponen/echan* en el canal... a las...

ADJETIVOS PARA DESCRIBIR

- □ Divertido/aburrido.
- □ Interesante.
- □ Importante.
- □ Actual.
- □ Triste/alegre.
- □ Antiguo/moderno.

QUEDAR

- □ ¿Quedamos para ir al cine?
- □ ¿Por qué no quedamos para hablar del viaje?
- □ ¿Dónde y cuándo quedamos?
- □ ¿Por qué no quedamos en la cafetería a las 20:00 h?

PRUEBA 3

Expresión e interacción escritas

TAREA 1

Usted quiere hacer un curso de fotografía en Argentina. Escriba un mensaje a una escuela para pedir información. En él debe preguntar:

- Dónde está la escuela.
- Las fechas del curso y sus horarios.
- Qué debe hacer para matricularse.
- Preguntar si hay posibilidad de obtener una beca.

Número de palabras: entre 30 y 40.

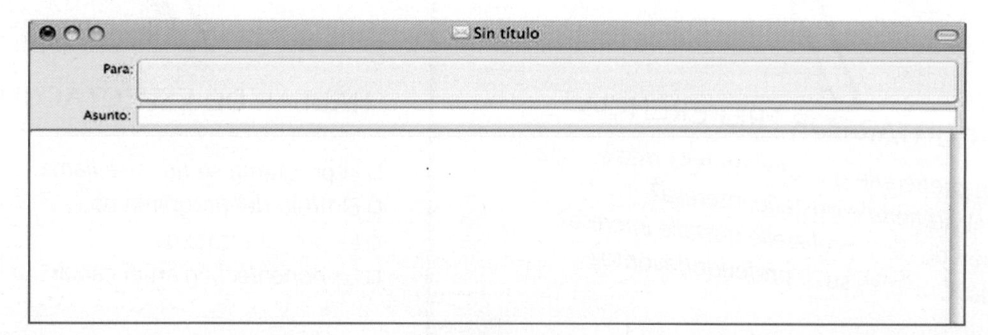

TAREA 2

Usted ha ido a ver una exposición recientemente. Escriba su opinión en un foro sobre arte. En él debe:

- Explicar cuándo fue a la exposición y qué vio en ella.
- Describir las obras que vio.
- Dar su opinión personal.

No olvide saludar y despedirse.
Número de palabras: entre 70 y 80.

Foro sobre arte

registrarse fotos música temas de hoy

Nombre de cuenta:
Contraseña:
Conectar

Opiniones

TAREA 3

Usted ha asistido recientemente a una semana cultural en su ciudad y aquí tiene las fotos de las distintas actividades. Escriba una reseña para un boletín del barrio. En ella tiene que contar:

- Cuándo ha sido la semana cultural.
- Qué actividades se han hecho y cómo eran.
- Qué le ha gustado más.

Número de palabras: entre 70 y 80.

Semana cultural en...

....

....

....

....

Anote el tiempo que ha tardado:

Recuerde que solo dispone de **50 minutos**

PRUEBA 4

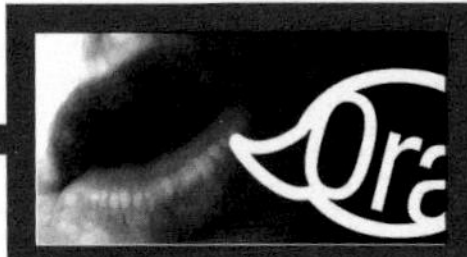

Expresión e interacción orales

Tiempo de preparación de la prueba.

Tiempo disponible para las cuatro tareas.

TAREA 1

EXPOSICIÓN DE UN TEMA: MONÓLOGO

Usted tiene que hablar ante el entrevistador sobre diferentes actividades culturales durante 3 o 4 minutos. Elija uno de los aspectos que se le proponen.

ACTIVIDADES CULTURALES

Teatro

- ¿Qué prefiere, el teatro o el cine?
- En su ciudad, ¿hay muchos teatros?
- ¿Cuál es la última obra de teatro que ha visto?
- ¿Le gustó? ¿De qué trataba?
- El teatro, ¿le parece caro?

Baile

- ¿Le gusta bailar?
- ¿Qué tipo de baile le gusta más: clásico, moderno, folklórico...?
- ¿Ha visto alguna vez un espectáculo de flamenco? ¿Le gustó?
- En su país, ¿cuál es el baile popular?

Museos

- ¿Le gusta visitar museos? ¿Cuáles son sus favoritos?
- En su ciudad, ¿hay algún museo? ¿Cómo es?
- ¿Son caros? ¿Hay precios especiales?
- ¿Hay algún museo famoso en su país?

Cine

- ¿Le gusta ir al cine o prefiere ver películas en su casa?
- ¿Qué tipo de películas le gustan?
- ¿Cuál es la última película que ha visto?
- ¿Le gustó?¿De qué trataba?
- ¿Cuál es su actor o actriz favorito? ¿Por qué?

Conciertos

- ¿Qué tipo de música le gusta más?
- ¿Va mucho a conciertos?
- ¿Le parecen caros o baratos?
- ¿Quién es su cantante o compositor favorito?
- ¿Hay algún músico de fama internacional en su país?

TAREA 2

DESCRIPCIÓN DE UNA FOTO

Esta es la recepción de un centro de idiomas. Usted tiene que describir la siguiente fotografía durante 2 o 3 minutos.

Ejemplos de preguntas para la descripción

- ¿Qué ve en la foto?
- ¿Hay personas? ¿Quiénes son? ¿Dónde están exactamente?
- ¿Cómo son físicamente? ¿Cómo van vestidos? Descríbalos.
- ¿Qué hacen las personas? ¿De qué cree que están hablando?
- ¿Cómo es el lugar? Descríbalo.

TAREA 3

SIMULACIÓN: DIÁLOGO CON EL ENTREVISTADOR

Imagine que usted quiere hacer un curso de español. Hable con el/la recepcionista de la escuela durante 2 o 3 minutos.

Modelo de conversación

1. Inicio

EXAMINADOR:
Hola, *buenos días/buenas tardes*.
CANDIDATO:
Hola...
EXAMINADOR:
¿En qué puedo ayudarlo/la?
CANDIDATO: *solicitar información.*
Quiero informarme sobre...

2. Fase de desarrollo

EXAMINADOR:
¿Qué tipo de curso le interesa? ¿Regular, intensivo, conversación…?
CANDIDATO:
…
EXAMINADOR:
¿Y qué nivel?
CANDIDATO:
Pues creo que mi nivel es...
EXAMINADOR:
¿Qué horario le conviene?
CANDIDATO:
…
EXAMINADOR: *descripción de cursos, niveles y horarios.*
Pues tenemos los siguientes cursos... ¿Le interesa alguno?
CANDIDATO:
Sí, me interesa…

3. Despedida y cierre

EXAMINADOR:
Muy bien. Le esperamos el lunes a las 9:00.
CANDIDATO:
Muchas gracias…

TAREA 4

SIMULACIÓN: CONVERSACIÓN CON EL ENTREVISTADOR

Usted deberá conversar con el entrevistador durante 3 o 4 minutos según la información que hay en su ficha.

FICHA A: EXAMINADOR

Usted tiene que preparar un examen y prefiere hacerlo en casa. Su compañero prefiere estudiar en la biblioteca.

Debe:

1. Decir a su amigo que prefiere estudiar en casa.
2. Explicar por qué prefiere preparar el examen en casa.

☺ ESTUDIAR EN CASA	☹ ESTUDIAR EN LA BIBLIOTECA
- Más libertad: podemos organizar nuestro horario. - Más cómodo: no tenemos que vestirnos y arreglarnos para salir. - Podemos hablar del examen y explicar las cosas difíciles uno a otro.	- Hay que adaptarse al horario de la biblioteca. - Perdemos tiempo para ir a la biblioteca. - No podemos hablar de los temas del examen, está prohibido hablar.

3. Llegar a un acuerdo con su amigo.

FICHA B: CANDIDATO

Usted tiene que preparar un examen y prefiere hacerlo en la biblioteca. Su compañero prefiere estudiar en casa.

Debe:

1. Decir a su amigo que prefiere estudiar en la biblioteca.
2. Explicar por qué prefiere ir a la biblioteca.

☺ ESTUDIAR EN LA BIBLIOTECA	☹ ESTUDIAR EN CASA
- Nos ayuda a concentrarnos: hay mucho silencio. - Tenemos todos los libros que necesitamos para estudiar. - Nadie nos interrumpe.	- Perdemos el tiempo hablando de otras cosas. - Nos pueden llamar por teléfono e interrumpirnos. - No tenemos todos los libros o material que necesitamos.

3. Llegar a un acuerdo con su amigo.

examen 5

EL TRABAJO

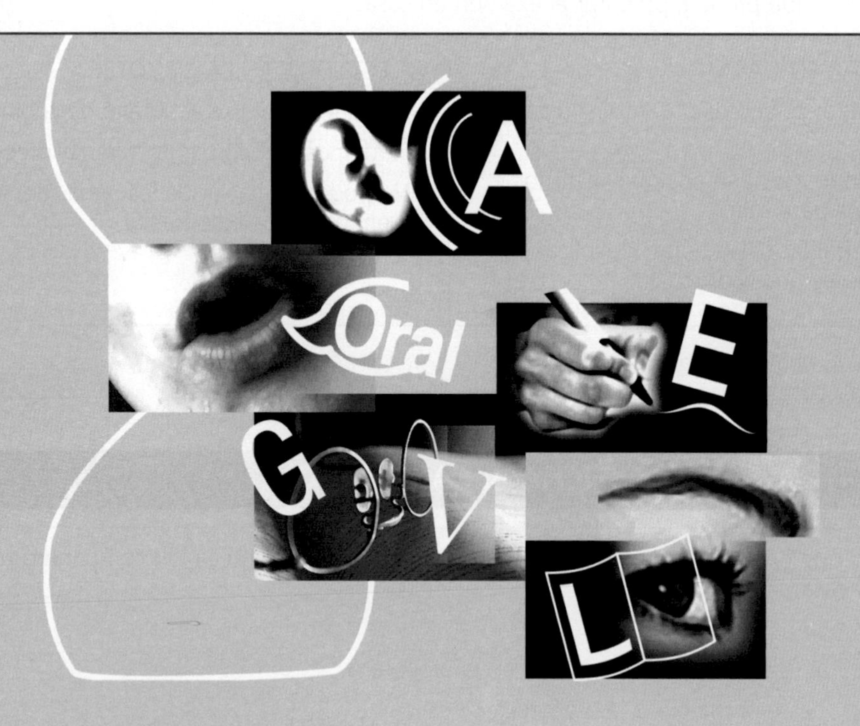

Te recomendamos este libro para ampliar el vocabulario del español de España y variantes de México y Argentina.

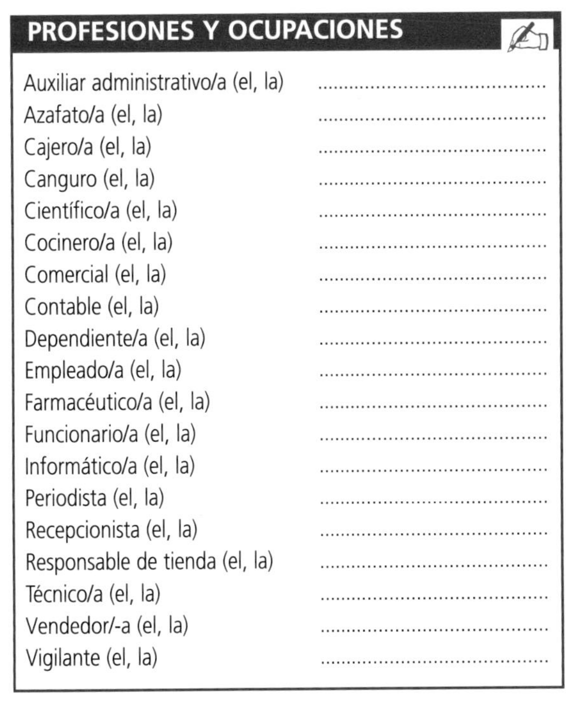

PROFESIONES Y OCUPACIONES

Auxiliar administrativo/a (el, la) ....
Azafato/a (el, la) ....
Cajero/a (el, la) ....
Canguro (el, la) ....
Científico/a (el, la) ....
Cocinero/a (el, la) ....
Comercial (el, la) ....
Contable (el, la) ....
Dependiente/a (el, la) ....
Empleado/a (el, la) ....
Farmacéutico/a (el, la) ....
Funcionario/a (el, la) ....
Informático/a (el, la) ....
Periodista (el, la) ....
Recepcionista (el, la) ....
Responsable de tienda (el, la) ....
Técnico/a (el, la) ....
Vendedor/-a (el, la) ....
Vigilante (el, la) ....

BUSCAR TRABAJO

Candidato/a (el, la) ....
Capacidad de trabajo (la) ....
Contrato (el) ....
- fijo ....
- temporal ....
Demanda (la) ....
Entrevista de trabajo (la) ....
Horario (el) ....
Incorporación inmediata (la) ....
Jornada laboral (la) ....
Oferta (la) ....
Prácticas (las) ....
Puesto de trabajo (el) ....
Requisito (el) ....
Sueldo (el) ....
Trabajo en equipo (el) ....

LUGARES DE TRABAJO

Despacho (el) ....
Editorial (la) ....
Fábrica (la) ....
Gestoría (la) ....
Laboratorio (el) ....
Librería (la) ....
Multinacional (la) ....
Oficina (la) ....
Tienda (la) ....

VARIOS

Agenda (la) ....
Cita (la) ....
Curso de formación (el) ....
Departamento (el) ....
Extensión (de teléfono) (la) ....
Factura (la) ....
Informe (el) ....
Intermediario/a (el, la) ....
Maletín (el) ....
Negocio (el) ....
Prefijo (de teléfono) (el) ....
Presupuesto (el) ....
Reunión (la) ....
Seminario (el) ....
Socio/a (el) ....
Tarjeta (la) ....
- de visita (la) ....
- de presentación ....
Uniforme (el) ....

VERBOS

Contestar ....
- al teléfono ....
- un correo electrónico ....
Contratar ....
Dejar un mensaje ....
Despedir ....
Dirigir ....
- una compañía ....
- un negocio ....
Entrevistar ....
Enviar/Recibir ....
- un correo electrónico ....
- un fax ....
Escribir/Enviar el currículum ....
Fabricar ....
Ganar dinero ....
Hacer ....
- fotocopias ....
- una presentación ....
Preparar ....
- una factura ....
- un pedido ....
Reparar ....
Tener ....
- don de gentes ....
- experiencia ....
Trabajar de canguro ....

PRUEBA 1

TAREA 1

A continuación va a leer ocho enunciados (incluido el ejemplo) y diez textos. Después, seleccione el texto, a)-j), que corresponde a cada enunciado, 1-7. Tiene que seleccionar siete textos.

	ENUNCIADOS	TEXTO
0.	En verano no abre por la tarde.	a)
1.	Ha cambiado de día.	
2.	Van a la casa del cliente.	
3.	No se puede llamar por la mañana.	
4.	Ha perdido algo.	
5.	Tienen dos oficinas.	
6.	Quiere trabajar cuidando niños.	
7.	Puede empezar a trabajar ya.	

TEXTOS

a)

Oficina de Empleo

Horario: de 9:00 a 14:00 de lunes a viernes y jueves de 17:00 a 19:00.

Nota: Entre el 1 de junio y el 31 de septiembre solo atendemos en horario de mañana.

b)

Se alquila local de 300 m² en el polígono industrial de Cuatro Vientos. Ideal oficinas. Todos los servicios. 4 despachos, 2 baños completos y zona de aparcamiento. Buena comunicación. Alquila Oficinassur. Teléfono de contacto: 665789454 (a partir de las 17:00).

c)

AVISO

El seminario del Departamento de *Marketing* y Comercial sobre *Cómo cerrar un acuerdo en Asia* no se va a celebrar este jueves sino el lunes de la próxima semana en la sala de reuniones.
Gracias.

El jefe del departamento

d)

GESTORÍA MARTÍNEZ&GUTIÉRREZ ASOCIADOS

Asesoría de empresas
- Fiscal y Laboral (nóminas, contratos).
- Contabilidad y auditorías.
- Protección de datos.

Avda. de la Universidad s/n.
Edificio Lirios, 2.ª planta, despachos 14 y 15.
10003 Cáceres

e)

OFIMOBEL

Muebles y equipamiento de oficina
Mesas, sillas, lámparas, armarios, archivadores, etc.
Precios sin competencia. Fabricamos y distribuimos nuestros productos. Sin intermediarios.
Vea nuestro catálogo en www.ofimobel.com o visítenos en camino de la Aviación, s/n. Km 13,500.

f)

Estudiante de 17 años con experiencia se ofrece como canguro.
Chica responsable y seria.
Disponible noches y fines de semana.
Teléfono: 657098743 (Susana).

g)

Servicio técnico especializado en impresoras:

reparación, venta y alquiler.
Todo para la reparación de impresoras láser. Todos los modelos. Servicio 24 horas. Oficinas y domicilio.
Garantía 6 meses.

Solicitar presupuesto en el teléfono: 977944010.
Preguntar por Roberto.
Entre en nuestra nueva sección de ofertas:
www.impresionservices.com

h)

Joven dinámico, responsable y puntual. Diplomado en Empresariales, busca trabajo en Departamento de Administración.
Ofrece:
- 2 años de experiencia en tareas de contabilidad y gestión de facturación.
- Nivel medio de inglés.
- Incorporación inmediata.
- Vehículo propio.

Teléfono de contacto: 667843560, Marcos.

i)

Atención:
El escáner de la fotocopiadora está fuera de servicio.
En caso de urgencia, se puede utilizar el que está en contabilidad, 1ª planta o el que está en administración, 3ª planta.
Disculpen las molestias.

j)

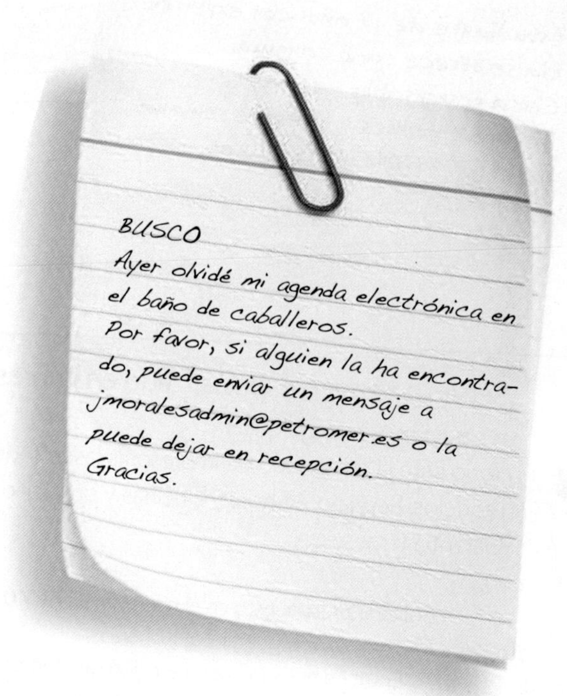
BUSCO
Ayer olvidé mi agenda electrónica en el baño de caballeros.
Por favor, si alguien la ha encontrado, puede enviar un mensaje a jmoralesadmin@petromer.es o la puede dejar en recepción.
Gracias.

TAREA 2

A continuación va a leer el correo electrónico que Antonio ha enviado a Juan Luis. Después, conteste las preguntas, 8-12, marcando la opción correcta, a), b) o c), para cada una.

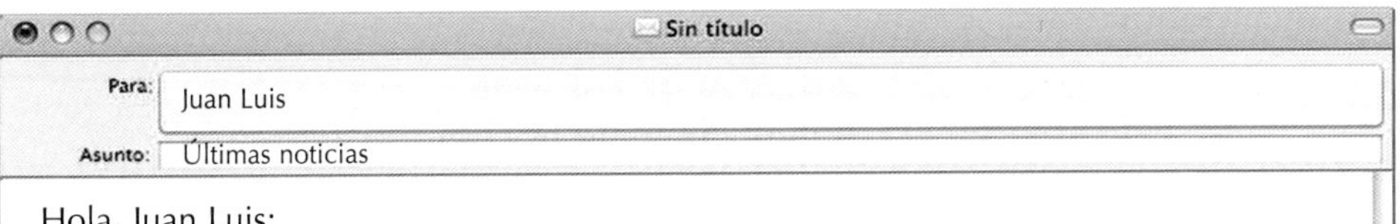

Hola, Juan Luis:
¿Cómo estás? Desde que dejé la oficina, pensaba escribirte para hablarte sobre mi nuevo trabajo, pero quería tener algo bueno que contar...
Ya sabes que cuando me ofrecieron la posibilidad de venir a trabajar a esta multinacional, pensé que era una gran oportunidad. Es una gran empresa, el puesto es muy bueno, gano más dinero y también tengo más responsabilidades... Sin embargo, hay algunas cosas que no son como me dijeron: por ejemplo, mi horario. Es terrible. Al principio trabajaba de 9:00 h de la mañana a 17:00 h de la tarde, pero la verdad es que muchas veces salimos a las 20:00 h y, lo que es peor, muchos fines de semana tenemos que venir a trabajar.
Por otro lado, el jefe que tengo ahora casi nunca está y es muy difícil reunirse con él para tratar asuntos importantes. La puerta de su despacho siempre está cerrada y hay que hablar con su secretaria para pedir cita. No es como con el señor Prieto, que siempre estaba disponible y dispuesto a dialogar.
Los compañeros también son un poco individualistas. No hay un verdadero trabajo en equipo y cada uno se ocupa de sus asuntos. Me acuerdo mucho de vosotros. Aquí me siento un poco solo y no sé si voy a acostumbrarme.
Bueno, Juan Luis, voy a seguir con mis informes y facturas. Da recuerdos a todos de mi parte y para ti un abrazo,
Antonio
P.D.: Los viernes también venimos a trabajar con traje y corbata. Un horror.

PREGUNTAS

8. Antonio le escribe a Juan Luis para decirle que:
- **a)** Le gusta más su trabajo actual que el anterior.
- **b)** Le gustaba más su trabajo anterior.
- **c)** Le gustaba tanto su trabajo anterior como el actual.

9. En el correo, Antonio escribe que:
- **a)** Su actual empresa no es importante.
- **b)** Ahora su salario es más bajo.
- **c)** No le gustan algunas cosas de su nuevo trabajo.

10. Antonio informa a Juan Luis de que:
- **a)** Normalmente trabaja más de lo que le dijeron.
- **b)** Siempre sale a las 20:00 h.
- **c)** Su trabajo es los fines de semana.

11. El jefe actual de Antonio:
- **a)** Se llama Sr. Prieto.
- **b)** Está poco en la oficina.
- **c)** Es un amigo.

12. Según el texto, Juan Luis es:
- **a)** Un jefe de Antonio.
- **b)** Un ex compañero de Antonio.
- **c)** Un hermano de Antonio.

TAREA 3

A continuación va a leer seis anuncios y una pregunta sobre cada uno de ellos. Después, responda las preguntas, 13-18, marcando la opción correcta, a), b) o c), para cada una.

Texto 1

5.º Congreso de Labosan
Felicidad en el trabajo: clave de la competitividad

Días: 10, 11 y 12 de junio.
Haga su inscripción del 1 al 31 de mayo y obtenga importantes descuentos.
Precios especiales para estudiantes.
Política de cancelación: antes del 31 de mayo: se devuelve el precio del curso, menos 30 € de gastos administrativos. A partir del 1 de junio: no hay devolución.

13. Este congreso:
a) Es gratis para los estudiantes.
b) Es más barato para los que se matriculan en mayo.
c) Cuesta 30 €.

Texto 2

Curso de salud laboral
Dirigido a trabajadores de la salud

Objetivos:
- Conocer los fundamentos de la salud laboral.
- Conocer los riesgos de la actividad laboral.
- Mejorar la calidad del trabajo y la vida de los trabajadores.

600 horas (60 créditos) divididas en:
1. Área común y obligatoria: 350 horas.
2. Especialización: 100 horas por cada área.
3. Realización de un trabajo final: 150 horas.

14. Este curso pueden hacerlo:
a) Médicos y enfermeros.
b) Estudiantes de Medicina.
c) Todos los trabajadores.

Texto 3

www.mitrabajo.com.
La mejor publicación electrónica para buscar empleo.
En ella puedes encontrar:

- Demandas y ofertas de trabajo.
- Instrucciones para preparar un buen currículum.
- Consejos para encontrar trabajo.
- Ideas de negocios.
- Servicios y noticias sobre empleo en España.
- Un foro para intercambiar opiniones con otras personas que buscan trabajo y pedir consejo a los que ya lo han conseguido.

15. Esta revista la puedes encontrar en:
- **a)** Internet.
- **b)** Un quiosco.
- **c)** Una biblioteca.

Texto 4

Únete a Vendedores independientes

Comparte tu experiencia con otras personas que hacen lo mismo que tú y aprende las mejores técnicas de cómo conseguir clientes y lograr más ventas.
Regístrate ahora y gana un portátil *
Puedes ver el nombre del ganador en www.vendedores.com
* Solo las 25 primeras inscripciones (incluye gastos de envío).

16. En esta página:
- **a)** Te hacen un regalo cuando te registras.
- **b)** Es posible comprar ordenadores portátiles.
- **c)** Te enseñan a mejorar tu negocio.

Texto 5

Ayudas para fomento del empleo:

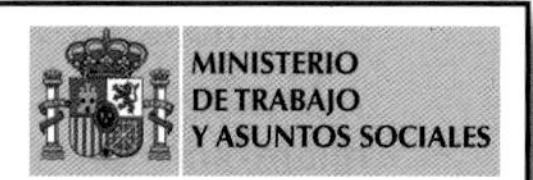

El proyecto Emprender en femenino, del Instituto de la Mujer, tiene la finalidad de fomentar la inserción laboral de las mujeres.

Presentar solicitudes en el Ministerio antes del 15 de abril (modelo de solicitud en la página web del Ministerio).

17. Esta ayuda hay que solicitarla:
- **a)** En el Ministerio de Trabajo.
- **b)** A través de Internet.
- **c)** En el Instituto de la Mujer.

Texto 6

AGENCIA DE EMPLEO Y DESARROLLO LOCAL DE COLLADO

Si necesita trabajadores para su empresa, la Agencia de Empleo y Desarrollo Local de Collado le pone en contacto con personas de la zona que buscan empleo.
También le ofrece la posibilidad de dar a conocer sus ofertas de empleo a través de su página web o de una lista expuesta en la oficina de la agencia.

18. Este anuncio va dirigido a:
- **a)** Empresarios que necesitan empleados.
- **b)** Personas que buscan trabajo.
- **c)** Futuros empresarios.

TAREA 4

A continuación va a leer diez textos con diferentes ofertas de trabajo y siete enunciados. Después, seleccione el enunciado, 19-24, que corresponde a cada texto, a)-j). Tiene que seleccionar seis textos.

	ENUNCIADOS	TEXTO
0.	Van a trabajar en verano.	a)
19.	Necesita experiencia.	
20.	Tiene que saber idiomas.	
21.	Va a trabajar medio año.	
22.	Tiene que dar clases.	
23.	Tiene que conducir.	
24.	Solo trabaja los fines de semana.	

ANUNCIOS 11

a) Dependientes
Importante firma de ropa joven con tiendas en varias zonas de Barcelona necesita dependientes jóvenes y dinámicos para trabajar de julio a septiembre. Edad entre 18 y 25 años. No se necesita experiencia.
Interesados presentarse mañana lunes de 9 a 13 en carrer Principal, 9. Preguntar por Sonia.

b) Azafatas
AzafataPlus necesita azafatas para congreso en Bilbao capital, los días 25 y 26 de marzo. Imprescindible inglés, francés y alemán. Necesario traje chaqueta negro. Solicitar entrevista en el 900878777.

c) Abogados
Importante grupo de empresas líder en su sector necesita incorporar dos abogados especialistas en Derecho Mercantil y Administrativo. Imprescindible informes. Incorporación inmediata.
Enviar CV a lexmaxima@abogados.com. ref.: DM.

d) Comerciales
Telefast España necesita comerciales para trabajar en el sector de telecomunicaciones (telefonía móvil). Es importante tener disponibilidad para viajar, coche propio y carné en vigor. Interesados enviar CV actualizado a telefastespaña@empleo.com.

e) Cocinero
Empresa de trabajo temporal busca cocinero jefe para restaurante en la Costa del Sol. Duración contrato: seis meses. Requisitos: persona con gran capacidad de trabajo y responsable, que puede tener gente a su cargo. Interesados solicitar entrevista en ETM: 696547899. Ref. CJ.

ANUNCIOS 11

f) Camarero

Cafeterías Montana busca camareros para sábados y domingos. Funciones principales: atención al cliente y servir mesas. Se necesita buena presencia y carácter abierto. Interesados presentarse en cafeterías Montana (calle Gran Sol, 7).

g) Responsable de tienda

Conocida tienda de moda y complementos necesita responsable de tienda. Es necesario haber trabajado al menos 2 años como responsable de tienda de ropa. Puesto estable con incorporación directa en empresa. Interesados enviar CV con carta de presentación a empleo@modaseuropa.com.

h) Personal de hotel

Importante cadena hotelera selecciona personal (recepcionistas*, jefe de personal* y camareras de habitación) para su nuevo hotel de cinco estrellas en Huelva. Interesados llamar al 902909008. Preguntar por Srta. Vázquez.

*Necesaria formación universitaria en Turismo o Dirección Hotelera.

i) Informático

Empresa especializada en formación de trabajadores en la comunidad andaluza busca informáticos para dar cursos de iniciación a las nuevas tecnologías en modalidad presencial. Los cursos se imparten en las propias empresas interesadas. Enviar currículum y carta de presentación al Apdo. 29014. Málaga.

j) Jardinero

Urbanización en sierra norte busca jardinero para trabajar por horas, con conocimientos en reparación de maquinaria de jardinería. También tiene que hacer labores de mantenimiento de la piscina.

Interesados presentarse jueves y viernes por la tarde (de 17:00 h a 20:00 h) en el local de la comunidad de la urbanización.

TAREA 5

A continuación va a leer una noticia sobre un programa del gobierno de Uruguay. Después, conteste las preguntas, 25-30, marcando la opción correcta, a), b) o c), para cada una.

El programa Projoven

Según la última encuesta de seguimiento del programa Projoven, un 23 % de los jóvenes de Uruguay no estudia ni trabaja.

Los jóvenes representan el 63 % de los desocupados del país, pero el coordinador de Projoven -programa que funciona desde hace doce años y que intenta ayudar a jóvenes de entre 18 y 24 años, con dificultades socioeconómicas, sin estudios ni trabajo, para entrar en el mercado laboral- dijo que es posible mejorar estas cifras.

La directora nacional de empleo, Sara Payssé, por su parte, afirmó que: «Los jóvenes sufren discriminación», y tienen verdaderas dificultades tanto para conseguir vivienda como para acceder al sistema de salud y de educación. «Siempre se piensa que a los jóvenes hay que darles muchas cosas, cuando en realidad es el país el que necesita de ellos», aseguró. También dijo que hay demanda de trabajadores jóvenes, pero no tienen la formación necesaria. Por ello se está trabajando con el Ministerio de Educación y Cultura.

La señora Payssé también afirmó que: «Esta encuesta demuestra que algunas cosas están empezando a cambiar», y que: «La mejor política de empleo es mantener a los jóvenes en el sector educativo la mayor cantidad de años posibles. Si bien desde los 15 años los jóvenes pueden empezar a trabajar, no deben hacerlo. Es mejor mantenerlos en el sector educativo para darles una mejor formación».

Este programa, de carácter nacional, atiende a unas 2500 personas al año, de las cuales entre 1500 y 2000 consiguen trabajo.

Para participar, se realiza una entrevista individual a cada uno de los interesados, a cargo de psicólogos y asistentes sociales, para comprobar su voluntad de trabajo. Se da prioridad a las chicas y chicos que tienen más necesidad de ingreso inmediato al mundo laboral.

Projoven primero encuentra las áreas con más oportunidades, empresas concretas que solicitan jóvenes y entonces los prepara para tareas específicas. En general las áreas que más se trabajan son: ventas y atención al cliente, auxiliar administrativo con informática y auxiliar de estaciones de servicio.

La formación se hace entre dos y seis meses en el aula, luego se realiza un aprendizaje en la empresa y un posterior seguimiento de unos doce meses más, en la etapa en que chicos y chicas comienzan a trabajar.

Aunque el programa es importante, necesita crecer porque cerca de 80000 jóvenes no estudian ni trabajan, y Projoven solo puede atender unos 2500 por año.

Adaptado de www.presidencia.gub.uy

PREGUNTAS

25. Projoven es un programa pensado para:
- **a)** Estudiar los problemas de los jóvenes.
- **b)** Solucionar los problemas de trabajo en Uruguay.
- **c)** Preparar a los jóvenes para poder trabajar.

26. Este programa:
- **a)** Se va a poner en práctica en el futuro.
- **b)** Ha empezado recientemente.
- **c)** Existe desde hace más de diez años.

27. La directora nacional de empleo dijo que el problema es que:
- **a)** Los jóvenes no están preparados para los trabajos.
- **b)** No hay trabajos específicos para los jóvenes.
- **c)** Hay que dar muchas cosas a los jóvenes.

28. La señora Payssé afirmó que los jóvenes:
- **a)** Deben empezar a trabajar a los quince años.
- **b)** No deben trabajar a los quince años.
- **c)** Deben estudiar más tiempo.

29. Para participar en el programa, se da prioridad a:
- **a)** Aquellos que más necesitan el trabajo.
- **b)** Jóvenes con problemas psicológicos.
- **c)** Los que están más interesados.

30. Lo primero que Projoven busca es:
- **a)** A los jóvenes que están mejor preparados.
- **b)** Empresas que necesitan trabajadores jóvenes.
- **c)** Auxiliares administrativos y vendedores.

Anote el tiempo que ha tardado:

Recuerde que solo dispone de **60 minutos**

PRUEBA 2 Comprensión auditiva

Tiempo disponible para toda la prueba.

TAREA 1

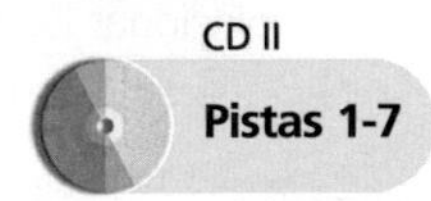

CD II

A continuación escuchará siete anuncios de radio. Oirá los anuncios dos veces. Después, marque la opción correcta, a), b) o c), para cada pregunta, 1-7.

PREGUNTAS

---

1. Esta empresa ayuda a:
- **a)** Encontrar trabajo.
- **b)** Montar un negocio.
- **c)** Buscar trabajadores.

2. Este libro:
- **a)** Es para personas que nunca han trabajado.
- **b)** Te prepara para buscar trabajo.
- **c)** Tiene ofertas de trabajo.

3. Esta feria se celebra:
- **a)** Solo este año.
- **b)** Una vez al año.
- **c)** Cada miércoles.

4. Europamás es una agencia de:
- **a)** Cursos de idiomas.
- **b)** Información sobre el trabajo en el extranjero.
- **c)** Viajes de estudios al extranjero.

5. Estas actividades se celebran:
- **a)** En la Oficina de la Mujer.
- **b)** El día 8 de marzo.
- **c)** Durante el mes de marzo.

6. Estas clases son para:
- **a)** Personas que ya no trabajan.
- **b)** Estudiantes de secundaria.
- **c)** Profesores de instituto sin trabajo.

7. Este es un anuncio de:
- **a)** Decoración de oficinas.
- **b)** Muebles en general.
- **c)** Muebles de oficina.

CD II

TAREA 2

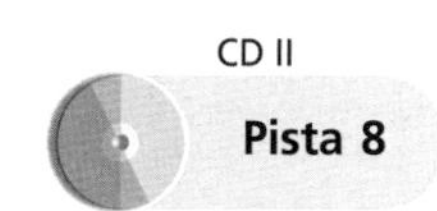

A continuación escuchará un programa de radio relacionado con el empleo. Oirá el programa dos veces. Después, marque la opción correcta, a), b) o c), para cada pregunta, 8-13.

PREGUNTAS

8. Este programa está dirigido a:
a) Empresarios que necesitan trabajadores.
b) Personas que buscan trabajo.
c) Trabajadores que quieren cambiar de empleo.

9. El programa de ayer trató de:
a) Los trabajos más interesantes.
b) Las empresas más importantes.
c) Cómo preparar un currículum.

10. Para conocer las empresas, primero:
a) Se puede buscar información en Internet.
b) Hay que preguntar a los amigos.
c) Se debe hablar con el jefe de personal.

11. El jefe de recursos humanos:
a) Es siempre amable y paciente con el candidato.
b) Puede informar sobre posibles trabajos en la empresa.
c) Está interesado en los futuros trabajadores.

12. La carta de presentación:
a) Debe decir toda la verdad.
b) Debe ser larga y estar bien escrita.
c) No es demasiado importante.

13. Lo más importante para conseguir trabajo es:
a) La carta de presentación.
b) Los contactos dentro de las empresas.
c) La formación del trabajador.

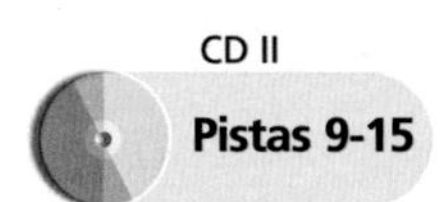

TAREA 3

A continuación escuchará siete mensajes. Oirá cada mensaje dos veces. Después, seleccione el enunciado, a)-j), que corresponde a cada mensaje, 14-19. Hay diez enunciados. Tiene que seleccionar seis.

	MENSAJES	ENUNCIADO
0.	Mensaje 1	a)
14.	Mensaje 2	
15.	Mensaje 3	
16.	Mensaje 4	
17.	Mensaje 5	
18.	Mensaje 6	
19.	Mensaje 7	

	ENUNCIADOS
a)	No puede ir.
b)	Pide ayuda.
c)	Hoy no trabajan.
d)	Le dan una cita.
e)	Cambia de día.
f)	Tiene que llamar más tarde.
g)	Le van a llamar otro día.
h)	Pide consejo.
i)	Ha conseguido trabajo.
j)	Ahora no se puede hablar con ellos.

CD II

Pista 16

TAREA 4

A continuación escuchará una conversación telefónica entre un trabajador de la Oficina de Empleo y una señora. Oirá la conversación dos veces. Después, seleccione la opción correcta, a), b) o c), para cada pregunta, 20-25.

PREGUNTAS

20. La señora llama a la Oficina de Empleo:

a) Porque no tiene trabajo estable.
b) Porque quiere un trabajo mejor.
c) Para pedir trabajo.

21. Esta conversación sucede:

a) El viernes por la mañana temprano.
b) El lunes por la mañana.
c) El viernes al mediodía.

22. El trabajo de esta mujer es:

a)

b)

c)

23. La señora está interesada en:

a) Los cursos de formación.
b) Aprender a escribir un buen currículum.
c) Hacer su propia empresa.

24. Para conseguir la información la señora:

a) Puede mirar en Internet.
b) Tiene que llamar por teléfono.
c) Debe ir personalmente a la Oficina de Empleo.

25. La señora:

a) Tiene que llevar unos documentos a la entrevista.
b) No puede hacer la entrevista el lunes.
c) Quiere hacer la entrevista antes.

CD II

Pista 17

TAREA 5

A continuación escuchará una conversación entre dos personas. Oirá la conversación dos veces. Después, seleccione la imagen, a)-h), que corresponde a cada enunciado, 26-30. Tiene que seleccionar cinco imágenes.

	ENUNCIADOS	IMAGEN
26.	Lugar de la conversación.	
27.	Lo que le gustaba a Aurora en su antiguo trabajo.	
28.	Dónde va a ir a trabajar Juan.	
29.	Con quién viaja Juan.	
30.	Lo que se lleva Juan.	

a)

b)

c)

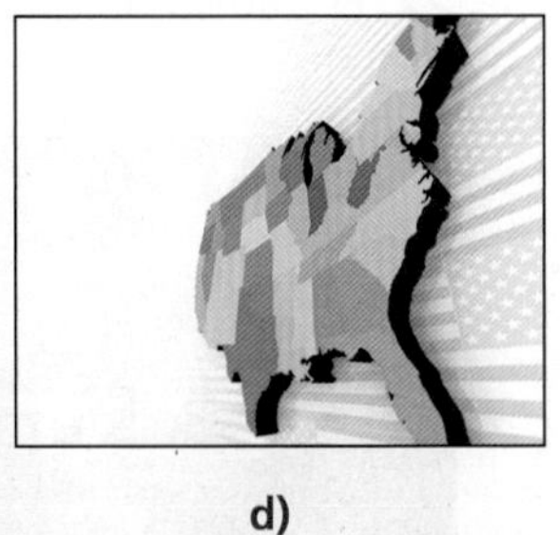

d)

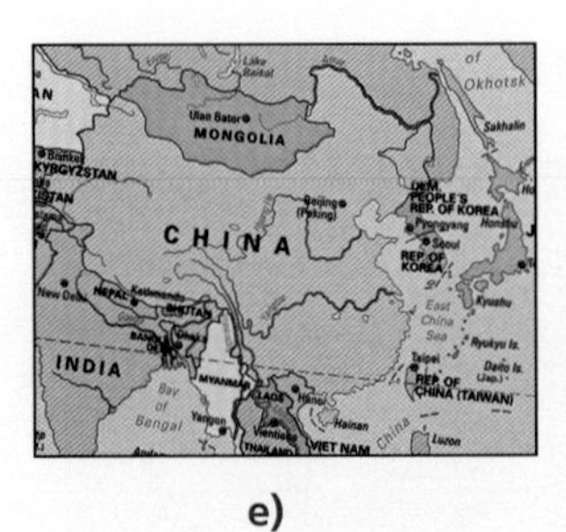

e)

f)

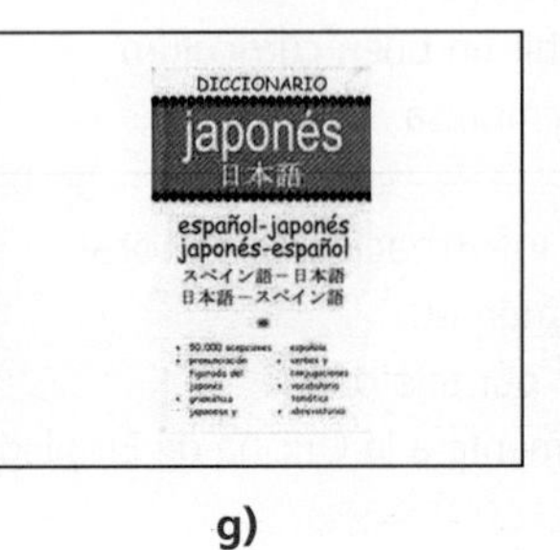

g)

h)

Anote el tiempo que ha tardado:

Recuerde que solo dispone de **35 minutos**

Sugerencias para los textos orales y escritos

APUNTES DE GRAMÁTICA

- Usamos el pretérito perfecto para hablar de experiencias sin especificar el momento exacto: *Nunca he trabajado en una empresa grande. Ya he leído el libro.*
- Usamos el pretérito perfecto simple para hablar de algo ocurrido en un día/momento concreto en el pasado: *El primer día me presenté a mis compañeros.*
- Usamos el presente para hablar de hábitos: *Todos los días trabajo de 8:00 h a 15:00 h.*
- Para hablar de la frecuencia usamos *normalmente*, *siempre*, *a veces*, etc.: *Normalmente desayuno en casa.*
- Para ordenar sucesos en el tiempo usamos *primero, luego, después*: *Primero fui a trabajar y después al gimnasio.*
- Para hablar de la anterioridad o la posterioridad usamos *antes de, después de*: *Antes de desayunar, me ducho.*

BUSCAR TRABAJO

- Busco un trabajo
  - con horario de *mañana/tarde*.
  - con buen sueldo.
  - cerca de casa.
  - interesante.

PEDIR UN FAVOR/AYUDA

- ¿Puede ayudarme?
- ¿Me ayuda?
- ¿Puede...?

HABLAR DE LA FORMACIÓN

- Soy *técnico/ingeniero/licenciado...*
- He estudiado...
- Tengo un máster en...
- Hice un curso de...
- Tengo experiencia en...

DESCRIBIR UNA EMPRESA

- Es una empresa
  - *grande/pequeña*.
  - *pública/privada*.
  - *nacional/internacional*.
  - con ... empleados.

PRUEBA 3 Expresión e interacción escritas

TAREA 1

Usted ha visto un anuncio de trabajo que le interesa. Escriba una carta presentándose:

- Explique qué estudios y formación tiene.
- Hable de su experiencia laboral.
- Pregunte qué documentación debe mandar.

Número de palabras: entre 30 y 40.

TAREA 2

Usted quiere cambiar de trabajo. Escriba un correo electrónico a un amigo. En él debe:

- Contarle por qué quiere cambiar de trabajo.
- Explicarle qué tipo de trabajo está buscando.
- Preguntarle si él puede ayudarle a encontrar un trabajo como ese.

No olvide saludar y despedirse.
Número de palabras: entre 70 y 80.

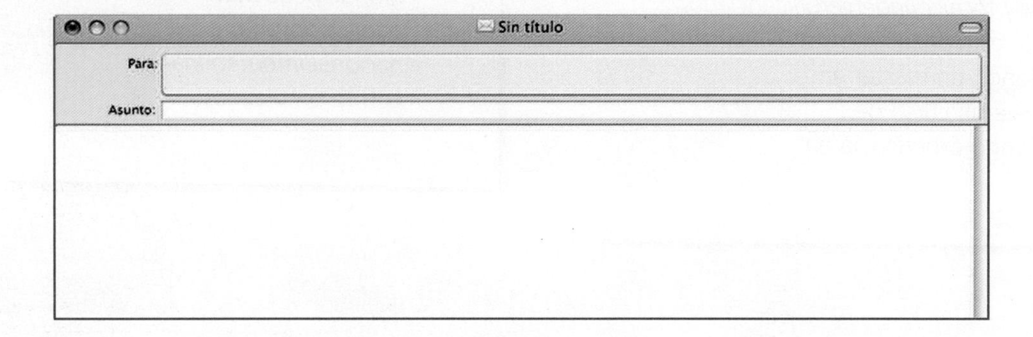

TAREA 3

Usted ha sido enviado a una nueva oficina fuera de su país y aquí tiene las fotos de su primer día. Escriba un texto para su blog. En él tiene que contar:

- Cómo es la oficina y cuáles son sus funciones en ella.
- Cómo son las personas que trabajan allí: cargos y funciones.
- Qué hizo en su primer día de trabajo.

Número de palabras: entre 70 y 80.

En la nueva oficina

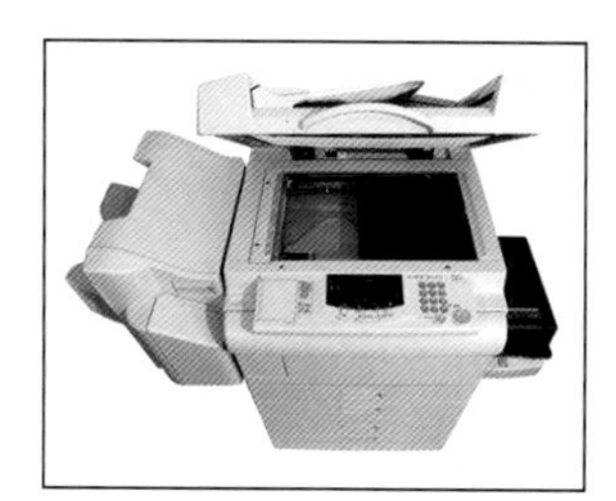

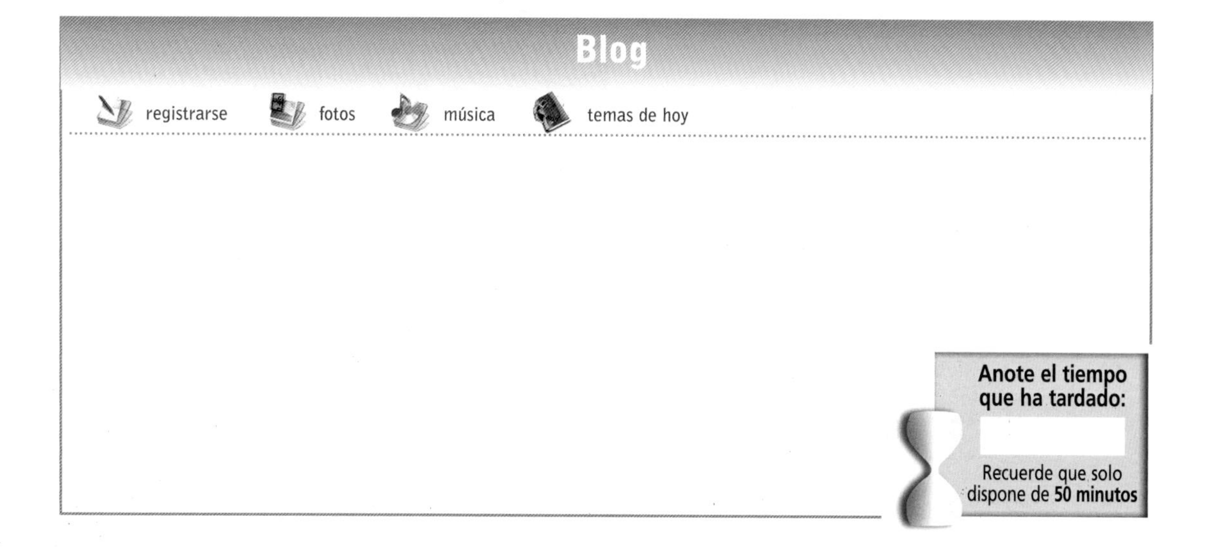

examen 5

PRUEBA 4

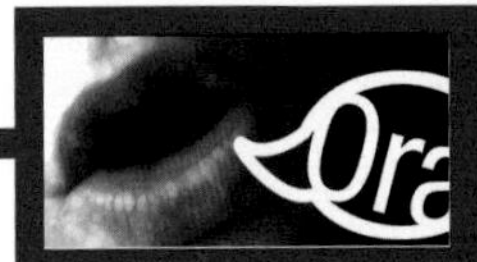

Expresión e interacción orales

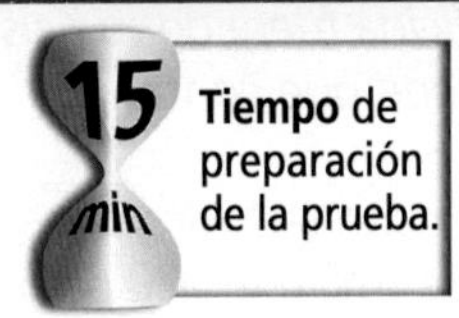

Tiempo de preparación de la prueba.

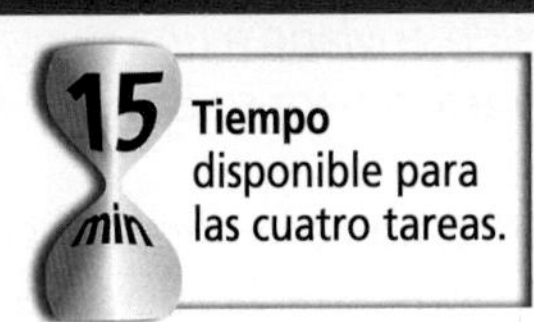

Tiempo disponible para las cuatro tareas.

TAREA 1

EXPOSICIÓN DE UN TEMA: MONÓLOGO

Usted tiene que hablar ante el entrevistador sobre el trabajo ideal durante 3 o 4 minutos. Elija uno de los aspectos que se le proponen.

EL TRABAJO IDEAL

Funcionario

- ¿Hay muchos funcionarios en su país?
- ¿Es fácil ser funcionario?
- ¿Qué hay que hacer para trabajar en la administración?
- ¿Están bien pagados?
- ¿Qué piensan en su país de los funcionarios?

Trabajar en otro país

- ¿Hay muchas personas de su país que van a trabajar al extranjero? ¿Y extranjeros que vienen a trabajar a su país?
- ¿Alguna vez ha trabajado en un país que no es el suyo? ¿Por qué? ¿Le gustó la experiencia?
- ¿Ha pensado alguna vez en emigrar? ¿Adónde?

Trabajar por Internet

- ¿Qué tipo de trabajo piensa que se puede hacer por Internet?
- En su país, ¿es normal trabajar por Internet?
- ¿Cuáles cree que son las ventajas de esta forma de trabajo? ¿Y los inconvenientes?

Profesiones en las que hay que viajar

- ¿En qué tipo de profesiones hay que viajar?
- ¿Cuáles son las ventajas y los inconvenientes de los viajes de trabajo?
- ¿Conoce a alguien que tiene que viajar mucho por trabajo? ¿Está contento con su profesión?

Negocio propio

- ¿Cuáles son las ventajas de tener un negocio propio? ¿Y los inconvenientes?
- ¿Conoce a alguien con un negocio propio? ¿Le va bien? ¿Qué problemas tiene?
- ¿Qué tipo de negocio tendría usted?

TAREA 2

DESCRIPCIÓN DE UNA FOTO

Usted tiene que describir la siguiente fotografía durante 2 o 3 minutos.

Ejemplos de preguntas para la descripción

- ¿Qué ve en la foto? ¿Hay personas? ¿Qué hacen?
- ¿Cómo son físicamente? ¿Cómo van vestidos?
- ¿De qué cree que están hablando?
- ¿Cómo es el lugar? Descríbalo.

TAREA 3

SIMULACIÓN: DIÁLOGO CON EL ENTREVISTADOR

Imagine que está usted en una oficina de empleo porque necesita trabajo. Dialogue con la empleada, durante 2 o 3 minutos.

Modelo de conversación

1. Inicio

EXAMINADOR:
Hola, *buenos días/buenas tardes.*
CANDIDATO:
Hola...
EXAMINADOR:
¿Puedo ayudarlo/la?
CANDIDATO: *explicar el motivo de su visita.*
Estoy buscando trabajo de...

2. Fase de desarrollo

EXAMINADOR:
¿Qué ha estudiado usted?
CANDIDATO:
...
EXAMINADOR:
¿Ha trabajado usted antes? ¿Qué experiencia tiene?
CANDIDATO:
Pues...
EXAMINADOR:
¿Qué idiomas habla?
CANDIDATO:
Hablo...
EXAMINADOR: *hablar de las ofertas que hay.*
Pues ahora mismo tenemos varias ofertas de...
CANDIDATO:
Pues me interesa...

3. Despedida y cierre

EXAMINADOR:
Bien. Eso es todo de momento. La próxima semana le llamamos para...
CANDIDATO: *mostrar acuerdo y despedirse.*
...

TAREA 4

SIMULACIÓN: CONVERSACIÓN CON EL ENTREVISTADOR

Usted deberá conversar con el entrevistador durante 3 o 4 minutos según la información que hay en su ficha.

FICHA A: EXAMINADOR

Usted va a empezar un negocio con otra persona y prefiere alquilar una oficina. Su socio prefiere hacer el negocio a través de Internet.

Debe:

1. Decir a su amigo que prefiere trabajar en una oficina.
2. Explicar por qué prefiere trabajar en un lugar físico.

☺ TRABAJAR EN UNA OFICINA	☹ TRABAJAR POR INTERNET DESDE CASA
- Es más fácil organizarse: si trabajamos desde casa, no tenemos horarios. - Más cómodo: atendemos mejor a los clientes. - Damos una mejor imagen a los clientes. - Tenemos más contacto con las personas.	- Es más difícil organizarse. - Tenemos un trato menos personal con los clientes. - Damos un aspecto menos profesional ante los clientes.

3. Llegar a un acuerdo con su amigo.

FICHA B: CANDIDATO

Usted va a empezar un negocio con otra persona y piensa que es mejor hacer el negocio a través de Internet. Su socio prefiere alquilar una oficina.

Debe:

1. Decir a su amigo que prefiere trabajar desde casa por Internet.
2. Explicar por qué prefiere trabajar *on-line*.

☺ TRABAJAR POR INTERNET DESDE CASA	☹ TRABAJAR EN UNA OFICINA
- Más barato: los alquileres de oficinas son muy caros. - Podemos hacer el trabajo nosotros solos. - Más libertad: podemos organizar nuestro horario como queramos.	- Tenemos que pagar mucho por el alquiler. - Hay que cumplir un horario. - Necesitamos contratar a otras personas. - Perdemos tiempo en el transporte.

3. Llegar a un acuerdo con su amigo.

examen 6

EL OCIO, LOS VIAJES Y LAS COMUNICACIONES

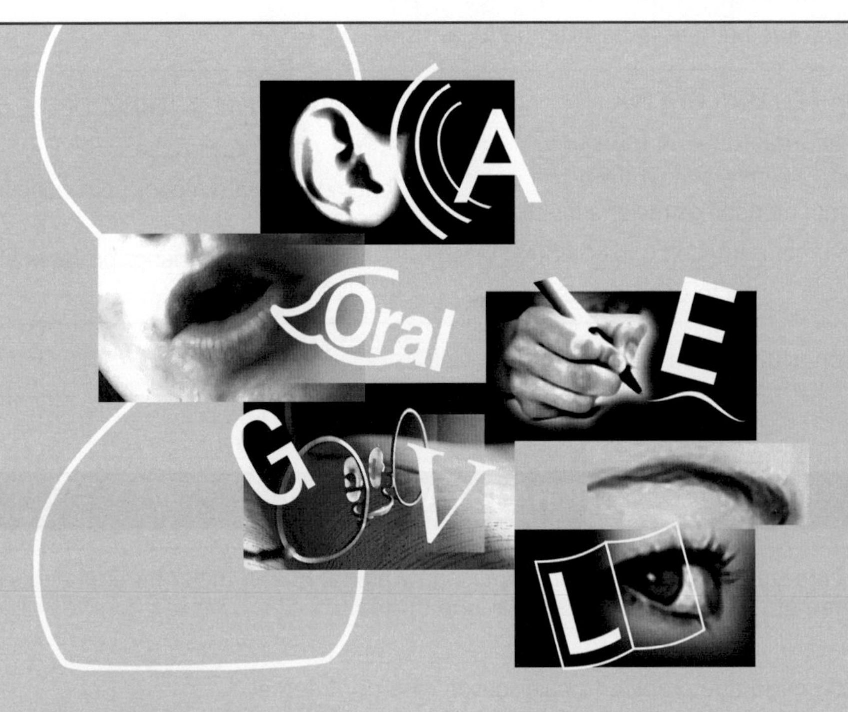

Te recomendamos este libro para ampliar el vocabulario del español de España y variantes de México y Argentina.

VOCABULARIO

FICHA DE AYUDA para la Expresión e interacción escritas y la Expresión e interacción orales

TIEMPO LIBRE Y AFICIONES

Afición (la) ....
Concierto (el) ....
Entrada (la) ....
Festival (el) ....
Gimnasio (el) ....
Invitación (la) ....
Monitor/-a (el, la) ....
Obra de teatro (la) ....
Ópera (la) ....
Parque de atracciones (el) ....
Programa (el) ....
Zoológico/zoo (el) ....

DEPORTES Y JUEGOS

Ajedrez (el) ....
Cartas (las) ....
Senderismo (el) ....
Natación (la) ....
Parchís (el) ....
Patinaje (el) ....
Submarinismo (el) ....

VERBOS

Hacer senderismo ....
Invitar ....
Montar en bici ....
Pasear ....
Quedar ....
Reservar ....
- una entrada/una mesa ....
Tener planes ....

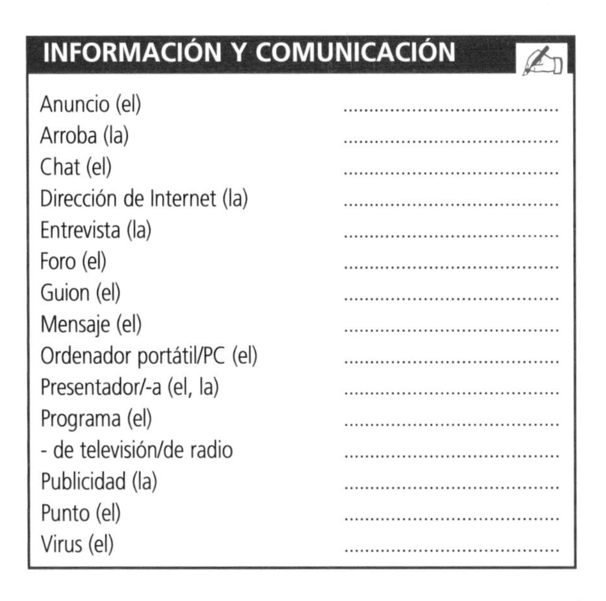

INFORMACIÓN Y COMUNICACIÓN

Anuncio (el) ....
Arroba (la) ....
Chat (el) ....
Dirección de Internet (la) ....
Entrevista (la) ....
Foro (el) ....
Guion (el) ....
Mensaje (el) ....
Ordenador portátil/PC (el) ....
Presentador/-a (el, la) ....
Programa (el) ....
- de televisión/de radio ....
Publicidad (la) ....
Punto (el) ....
Virus (el) ....

VERBOS

Archivar ....
Enviar/Mandar ....
- un correo ....
- un mensaje ....
Navegar ....
- por Internet ....
- por la red ....
Programar ....

VIAJES

Agencia de viajes (la) ....
Billete (el) ....
- de ida y vuelta ....
Calle peatonal (la) ....
Centro histórico (el) ....
Guía (el, la) ....
- turístico ....
- de viajes ....
Hotel (el) ....
- alojamiento y desayuno (AD) ....
- media pensión (MP) ....
- pensión completa (PC) ....
Instalaciones (las) ....
Maleta (la) ....
Mapa de carreteras (el) ....
Mochila (la) ....
Plano (el) ....
Reserva (la) ....
Salida (la) ....
Seguro de viaje (el) ....
Vista panorámica (la) ....
Vuelo (el) ....
Zona comercial (la) ....

VERBOS

Hacer/Deshacer las maletas ....
Ir ....
- de excursión/de vacaciones ....
Reservar ....
- un billete/un asiento ....
Tener seguro de viaje ....

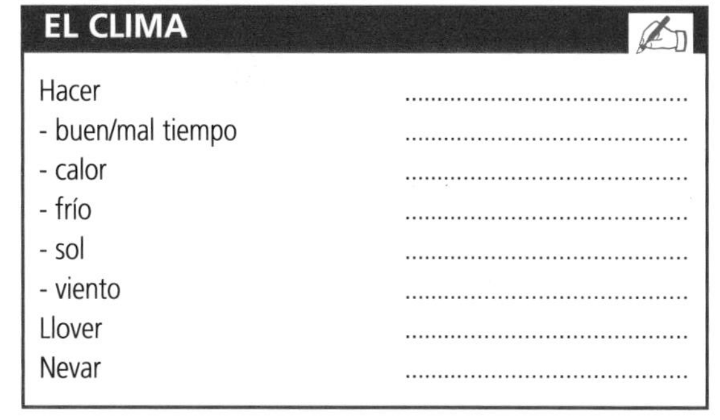

EL CLIMA

Hacer ....
- buen/mal tiempo ....
- calor ....
- frío ....
- sol ....
- viento ....
Llover ....
Nevar ....

PRUEBA 1 Comprensión de lectura

TAREA 1

A continuación va a leer ocho enunciados (incluido el ejemplo) y diez textos. Después, seleccione el texto, a)-j), que corresponde a cada enunciado, 1-7. Tiene que seleccionar siete textos.

	ENUNCIADOS	TEXTO
0.	Hay que pedir información.	a)
1.	Se va a hacer otro día.	
2.	Han cambiado el horario.	
3.	No se va a poder usar.	
4.	Puede recogerla por la mañana.	
5.	Se pueden leer sin pagar.	
6.	Se van a hacer en otro lugar.	
7.	Ahora es más cara.	

TEXTOS

a)

NOTA INFORMATIVA
La asociación de vecinos de Parque Grande organiza una visita al Parque Natural de Peñalara el próximo jueves.
Se ruega a todos los que quieren ir a esta excursión que pregunten al presidente de la asociación.
Gracias..

b)

AGENCIA DE VIAJES DESTINO

AVISO A NUESTROS CLIENTES
Las obras de ampliación han terminado. Volvemos a nuestro local de la calle de la Azucena, 15 con el mismo horario de siempre.
Les recordamos que ya pueden inscribirse para los viajes de la 3.ª edad.

c)

Aviso
Se ha encontrado una mochila de color azul con flores blancas y rosas en el vestuario de las chicas que está cerca de la piscina.
Preguntar en secretaría (horario: 09:00-12:00).

d)

CLUB DE SENDERISMO ANETO

Por enfermedad del monitor, la excursión programada para el sábado 14 al Pico de las Tres Provincias se retrasa al domingo 22.

Disculpen las molestias.
Para más información: 913456543. Preguntar por Andrés.

e)

AVISO A LOS USUARIOS DE LA PISCINA
A partir de octubre empiezan las clases de natación infantil, juvenil y para jubilados.
No se podrá hacer uso de la piscina pequeña.
La Dirección

f)

Ayuntamiento de Mairena

¡Atención!
El campeonato de ajedrez para jóvenes de 18 a 22 años se va a realizar a las 16:00 h del sábado 13 de mayo y no a las 15:00 h como estaba previsto.
Disculpen las molestias.

g)

POLIDEPORTIVO DEL BARRIO DE LA CRUZ

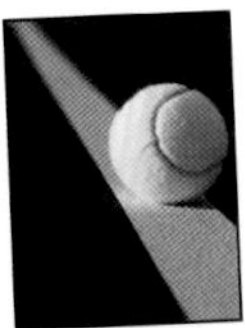

Aviso: A partir de hoy, 1 de mayo, la hora de uso de la pista de tenis cuesta 5 € y no 4,25 € como hasta ahora.
La Administración.

h)

AVISO A LOS ALUMNOS DEL AULA DE INFORMÁTICA

A partir de hoy las clases de introducción a la navegación por Internet para jubilados se hacen en el aula 2 (segundo piso). Disculpen las molestias.

i)

Ayuntamiento de Guadalete

Aviso a todos los vecinos

Con motivo de las fiestas locales, se van a celebrar diversas competiciones deportivas para todas las edades.
Inscripciones: Concejalía de Deportes el viernes 12 de 10:00 h a 20:00 h.
Gracias.

j)

¡Atención!

El Departamento de *Marketing* comunica que ha llegado a un acuerdo con la Biblioteca *on-line* LIBSCO por el que, desde hoy, sus alumnos pueden tener acceso gratuito a los miles de artículos de su base de datos.
La Dirección.

TAREA 2

A continuación va a leer la carta que Beatriz ha mandado a Rafael. Después, conteste las preguntas, 8-12, marcando la opción correcta, a), b) o c), para cada una.

Tenerife, 23-12-10

Querido Rafa:

Como ves en la foto que te adjunto, te escribo desde Tenerife. Estamos pasando dos semanas maravillosas aquí.

No sé si sabes que mi hermano trabaja en la Universidad de La Laguna y está casado con una chica de aquí. El año pasado vinieron a Málaga a pasar las Navidades con nosotros. Lo pasamos muy bien los cuatro y este año hemos pensado celebrar las fiestas con ellos y así conocer la isla.

Ya hemos visitado La Laguna, La Orotava y muchas playas maravillosas, pero todavía no hemos subido al Teide. Espero poder ir pronto porque me han dicho que es precioso.

Lo que más me sorprende de Tenerife es que la naturaleza es muy variada: el norte es precioso, muy verde, con gran cantidad de árboles y vegetación. En cambio, el sur es muy seco y desértico, y bastante turístico para mí.

Lo mejor de todo es el clima, es estupendo. Dicen que es la isla de la eterna primavera. No hace mucho calor en verano ni mucho frío en invierno. Imagínate, incluso en el mes en que estamos, no necesitamos el abrigo, excepto por la noche.

Mi marido también está encantado porque a él le gusta mucho el submarinismo y aquí hay lugares perfectos para practicarlo.

Un beso y felices fiestas,

Beatriz

PREGUNTAS

8. Beatriz escribe su carta:
a) En primavera.
b) En invierno.
c) Durante el verano.

9. Beatriz escribe a Rafa para:
a) Contarle su viaje a Tenerife.
b) Invitarlo a venir a Tenerife.
c) Pedirle un favor.

10. Beatriz ha ido a Tenerife:
a) Por motivos de trabajo.
b) Para hacer turismo y visitar la isla.
c) Para conocer a la mujer de su hermano.

11. Beatriz quiere:
a) Ir a la playa.
b) Visitar La Laguna.
c) Subir al Teide.

12. Beatriz prefiere el norte porque:
a) Es menos turístico.
b) La naturaleza es más variada.
c) Es más seco.

TAREA 3

A continuación va a leer seis anuncios y una pregunta sobre cada uno de ellos. Después, responda las preguntas, 13-18, marcando la opción correcta, a), b) o c), para cada una.

Texto 1

Viajes Sanz

Disfruta de tus vacaciones de Semana Santa en la costa.
Hoteles de 3 y 4 estrellas, media pensión: desde 36 €*
Aprovecha nuestra sensacional oferta para familias:
Niños de 2 a 10 años: 1.er niño, gratis; 2.º niño, 50% de descuento.
***Precio por persona y noche en habitación doble. Plazas limitadas.**

13. Este anuncio dice que:
a) Todos los niños de 2 a 10 años no pagan.
b) El precio incluye la habitación, el desayuno y otra comida.
c) La habitación para dos personas cuesta 36 € por noche.

Texto 2

Pentatlón cadena líder en ropa, calzado y material deportivo ahora en Valderribas

Ven y compra las mejores marcas a los mejores precios.
Como oferta de inauguración regalamos una gorra de la marca Pentatlón a nuestros visitantes menores de 12 años (acompañados de sus padres).
Y si tienes la tarjeta club Pentatlón, puedes disfrutar de muchas e interesantes ofertas.

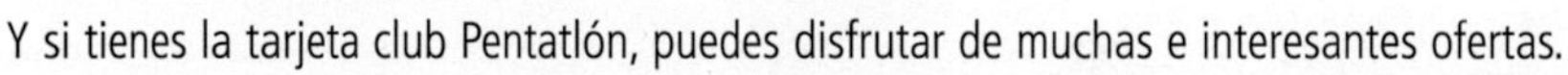

14. En esta tienda hacen un regalo:
a) Si se compra algo.
b) A los niños.
c) A los que tienen tarjeta club Pentatlón.

Texto 3

Bienvenido a www.rinconesporexplorar.com, la guía más completa de la red.
En nuestra página te ofrecemos guías de viajes de todos los países del mundo, además de mapas de las carreteras y planos de las principales ciudades.
Haz clic en el país que deseas visitar y allí vas a encontrar:
- Una primera sección con las principales ciudades del país ordenadas alfabéticamente.
- una segunda sección con un completo mapa de carreteras.
- Una sección donde los viajeros pueden intercambiar opiniones.

15. Este anuncio dice que:
a) La información de cada país se divide en tres partes.
b) Esta guía está escrita por muchos viajeros.
c) Hay una guía de cada ciudad principal.

Texto 4

Como ya anunciamos la semana pasada, Canal Trece estrena
Luz y sombra
una nueva serie en la que el misterio y el amor se encuentran a partes iguales.
La vida de dos antiguas compañeras de colegio se vuelve a cruzar.
Primer capítulo: el próximo jueves a las 22:00 h.
Más información sobre la serie y sus protagonistas en la web de Canal Trece: www.canaltrece.com

16. El anuncio dice que el primer capítulo de la serie:
a) No se puede ver hasta el próximo jueves.
b) Ya se vio la semana pasada.
c) Ya se puede ver.

Texto 5

COLEGIO GARCILASO

Invita a todos los profesores, alumnos, padres y exalumnos a participar en el
IV TRIATLÓN
Si te gusta correr, nadar y montar en bicicleta, participa.
Hora y lugar: sábado 2, a las 10:00 de la mañana.

Inscripciones: el mismo día en la recepción, una hora antes de la prueba. Más información en secretaría.

17. Para inscribirme en esta competición:
a) Debo estar en el colegio el sábado a las 9.
b) Hay que ir a la secretaría.
c) Es necesario ser alumno del colegio.

Texto 6

MIORDENADOR

Primera cadena especializada en ordenadores y todo lo relacionado con la informática de segunda mano.
- Todo lo que vendemos es revisado por nuestros técnicos.
- Garantía de 2 años.
- Servicio técnico gratuito (excepto piezas) durante dos años.

Y si en tu ciudad no hay una tienda de MIORDENADOR, puedes hacer tus compras por teléfono: 902 879876 o a través de nuestra web: www.miordenador.com

18. Este anuncio dice que en esta tienda:
a) Se pueden comprar ordenadores, equipos de informática y teléfonos.
b) Se venden ordenadores usados.
c) Se venden ordenadores nuevos.

TAREA 4

A continuación va a leer diez textos de una guía de hoteles en Valencia y siete enunciados. Después, seleccione el enunciado, 19-24, que corresponde a cada texto, a)-j). Tiene que seleccionar seis textos.

	ENUNCIADOS	TEXTO
0.	Veo mi correo electrónico sin pagar.	
19.	Voy andando a lugares interesantes.	
20.	No pasan coches por esa calle.	
21.	No está lejos del mar.	
22.	Puedo llevar a mi perro.	
23.	Se pueden hacer reuniones de trabajo.	
24.	Es un edificio muy alto.	

a) **HOTEL MEDIUM CONQUERIDOR**

Situado justo en el centro de la ciudad, este hotel de estilo vanguardista dispone de amplias habitaciones y ofrece una gran variedad de servicios: televisión vía satélite, conexión a Internet inalámbrica gratuita (Wifi), gimnasio, sauna y *parking*.

b) **EXPOHOTEL VALENCIA**

Ubicado en una de las zonas comerciales de la ciudad y a cinco minutos en transporte público del centro histórico de Valencia. Ideal para los que les gusta ir de compras. Dispone de piscina al aire libre.

c) **HOTEL VINCCI LYS**

En pleno centro de Valencia, en una tranquila calle peatonal. Está rodeado de las mejores *boutiques* y restaurantes. Decorado en un estilo elegante y atractivo, el hotel ofrece amplias y cómodas habitaciones.

d) **HOTEL PETIT PALACE GERMANIAS**

Este hotel es un edificio antiguo de 1920. Dispone de una sala perfecta para encuentros de negocios con material audiovisual y servicios de secretaría, interpretación y traducción.

e) **HOTEL HILTON VALENCIA**

Este hotel, ubicado en una torre de diseño de 35 plantas, es una opción ideal para quienes buscan alojamiento de lujo en la capital valenciana. Sus amplias y luminosas habitaciones ofrecen una bonita vista panorámica.

f) **HOTEL MELIÁ**

Este elegante y moderno hotel está en el corazón del centro histórico de Valencia. Por su ubicación, es perfecto para quienes desean llegar a pie a los mayores atractivos de Valencia: museos, parques y centros comerciales de moda.

g) **HOTEL ASTORIA PALACE**

Alojamiento perfecto para el visitante profesional, ya que está bien comunicado con el Palacio de Congresos, el Recinto Ferial. Su restaurante Vinatea ofrece especialidades de la cocina de la región, como la famosa paella y el arroz negro.

h) **HOTEL KRIS CÓNSUL**

Este hotel situado en un bello edificio de principios del siglo XX se encuentra en una de las mejores zonas de la ciudad, muy cerca de la playa de la Malvarrosa donde podrá relajarse con los amigos o la familia.

i) **HOTEL REY DON JAIME**

Las excelentes instalaciones del hotel ofrecen a sus clientes piscina al aire libre, gimnasio y un solárium donde podrá relajarse y tomar el sol. Sus espectaculares vistas le permiten disfrutar de una bonita visión de la ciudad de Valencia.

j) **HOTEL BELERET**

A pocos minutos del centro de Valencia, está perfectamente comunicado por transporte público. El personal de recepción le facilita toda la información necesaria sobre Valencia y sus alrededores. Admiten animales de compañía.

Adaptado de www.venere.com

TAREA 5

A continuación va a leer un texto sobre un tema actual. Después, conteste las preguntas, 25-30, marcando la opción correcta, a), b) o c), para cada una.

INTERNET Y LOS NIÑOS

Les decimos que no deben hablar con personas extrañas o abrir la puerta a un desconocido. Controlamos dónde juegan, qué ven en la televisión y qué videojuegos tienen, pero muchas veces olvidamos los peligros cuando se acercan al ordenador.

Internet tiene muchas ventajas: proporciona recursos como enciclopedias, noticiarios, acceso a bibliotecas y otros materiales educativos de gran utilidad para la formación de nuestros hijos.

Internet no es como la televisión o el videojuego, que ofrecen al niño información que él absorbe de una manera pasiva, sino que les da la oportunidad de participar activamente y comunicarse con otros niños del mundo o elegir la información o diversiones que desean.

Pero estos mismos atractivos pueden no ser buenos en algunas ocasiones. La fascinación que produce el ir de un lado para otro con un simple movimiento de dedo puede generarles una curiosidad casi compulsiva. Otro factor de riesgo es que puedan acceder a contenidos y materiales gráficos no aptos para los menores: sexo, violencia, drogas.

¿Cómo podemos los padres reducir los riesgos? La mejor manera de asegurarnos de que nuestros hijos van a tener experiencias positivas al navegar por Internet es interesarnos por lo que hacen y una forma de hacer esto es pasar tiempo con ellos mientras navegan por la red.

Si estamos preocupados por las actividades de nuestros hijos en Internet, podemos hablar con ellos. Podemos decirles que queremos ver lo que hacen y ver los servicios que usan. Muchas veces los padres que no controlamos mucho sobre las nuevas tecnologías podemos buscar el consejo y la orientación de otros usuarios de ordenadores y aprender a usar estos sistemas.

Por otra parte, nuestros hijos pueden pedir privacidad, y es natural. En ese caso, podemos dejar preparados los sitios aptos para visitar en el menú Favoritos y luego controlar el historial de páginas visitadas. No olvidemos que existen programas especialmente diseñados para ayudar a los padres a bloquear y controlar el contenido de los sitios en Internet para los niños. Estos programas, por ejemplo, pueden bloquear el acceso a sitios para adultos o cortar el uso de Internet por la noche o a la hora de hacer los deberes.

En todo caso, debemos hablar con nuestros hijos y establecer juntos las reglas que hay que seguir en el uso de Internet.

Adaptado de www.microasist.com.mx

PREGUNTAS

25. En este texto:
- **a)** Dan consejos a los padres.
- **b)** Hablan de sitios de Internet interesantes para niños.
- **c)** Se dice que Internet es una influencia negativa.

26. Este texto puede encontrarse en:
- **a)** Un manual sobre cómo usar Internet.
- **b)** Una revista para padres.
- **c)** El libro de instrucciones del ordenador.

27. El texto dice que:
- **a)** Usar Internet es como ver la televisión o usar un videojuego.
- **b)** El niño recibe pasivamente la información de Internet.
- **c)** Internet es más interactivo que la televisión o un videojuego.

28. Según el texto, uno de los peligros de Internet es que:
- **a)** Permite entrar en páginas para adultos.
- **b)** Sus contenidos nunca son para niños.
- **c)** Los niños ya no sienten curiosidad.

29. El texto dice que los padres:
- **a)** No deben dejar a sus hijos usar Internet en privado.
- **b)** No pasan suficiente tiempo con sus hijos.
- **c)** Deben hablar con sus hijos.

30. Según el texto, hay programas para:
- **a)** Informar a los padres sobre cómo usar Internet.
- **b)** Ayudar a los padres.
- **c)** Buscar las páginas aptas para niños.

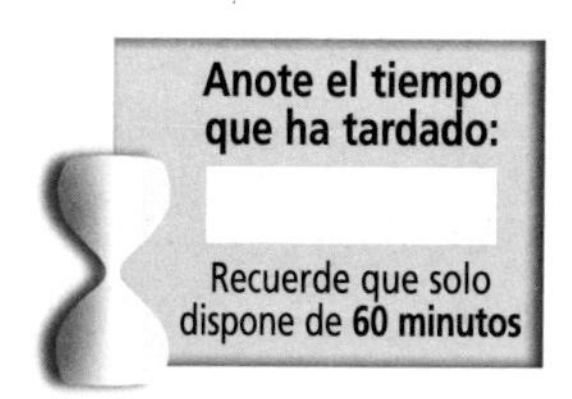

PRUEBA 2

TAREA 1

A continuación escuchará siete anuncios de radio. Oirá los anuncios dos veces. Después, marque la opción correcta, a), b) o c), para cada pregunta, 1-7.

PREGUNTAS

1. Los profesores de este gimnasio:
- **a)** Ayudan a decidir qué deporte hacer.
- **b)** No son iguales que otros.
- **c)** Son muy jóvenes y expertos.

2. El anuncio dice que la entrada es más barata:
- **a)** Para las familias.
- **b)** Si se compran diez juntas.
- **c)** Comprando por Internet.

3. Este seguro:
- **a)** Es solo para niños.
- **b)** No lo puedo usar para viajar por mi país.
- **c)** Solo sirve para problemas médicos.

4. En este club se puede:
- **a)** Buscar pareja.
- **b)** Hacer actividades culturales.
- **c)** Dar paseos por la naturaleza.

5. En este programa:
- **a)** Se comenta un libro de Juan Madrid.
- **b)** Se hace una entrevista a Juan Madrid.
- **c)** Se hace publicidad de viajes a Brasil.

6. Safaris para todos es:
- **a)** Una agencia que organiza viajes a África.
- **b)** Un libro de fotografías de animales africanos.
- **c)** Una película sobre África.

7. Según la oferta de Telecom, se paga:
- **a)** 54,90 € por el primer año.
- **b)** 30 € el mes de enero y más el resto del año.
- **c)** Menos durante el primer año.

CD II

TAREA 2

A continuación escuchará una noticia de radio sobre medios de comunicación en México y EE. UU. Oirá la noticia dos veces. Después, marque la opción correcta, a), b) o c), para cada pregunta, 8-13.

PREGUNTAS

8. Esta noticia:
- **a)** Compara la televisión de EE. UU. y México.
- **b)** Comenta una nueva serie mexicana.
- **c)** Habla de un canal por satélite.

9. Azteca México es:
- **a)** El canal por satélite más popular en EE. UU.
- **b)** Un canal nuevo en EE. UU.
- **c)** Un nuevo canal en México.

10. La programación de Azteca México:
- **a)** Solo ofrece telenovelas.
- **b)** Es diferente de la que se ofrece en México.
- **c)** Ofrece programas famosos en México.

11. *Póker de reinas*:
- **a)** Es un programa de noticias.
- **b)** Se ve por las mañanas.
- **c)** Es una película sobre cuatro mujeres.

12. Azteca México está dirigido a:
- **a)** Los estadounidenses que tienen familia en México.
- **b)** Los que quieren ver los programas que se ven en México.
- **c)** Los habitantes de México.

13. Patti López es:
- **a)** Una artista famosa.
- **b)** Una presentadora.
- **c)** La directora de Azteca México.

CD II

TAREA 3

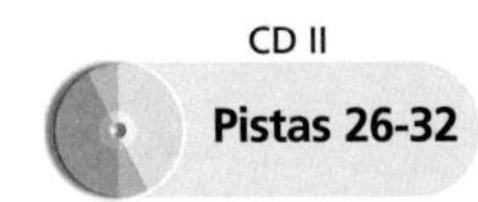

A continuación escuchará siete mensajes. Oirá cada mensaje dos veces. Después, seleccione el enunciado, a)-j), que corresponde a cada mensaje, 14-19. Hay diez enunciados. Tiene que seleccionar seis.

	MENSAJES	ENUNCIADO
0.	Mensaje 1	f)
14.	Mensaje 2	
15.	Mensaje 3	
16.	Mensaje 4	
17.	Mensaje 5	
18.	Mensaje 6	
19.	Mensaje 7	

	ENUNCIADOS
a)	Va a llegar más tarde.
b)	No va a ir.
c)	Hay que hacerlo esta semana.
d)	Tienen que ir urgentemente.
e)	Está enfermo.
f)	Van a cambiar el horario.
g)	Pide información.
h)	Ha cambiado de lugar.
i)	Tiene que llevar algo de comer.
j)	Tiene un problema con el ordenador.

CD II

TAREA 4

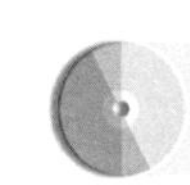

Pista 33

A continuación escuchará una conversación telefónica entre una empleada de un polideportivo municipal y un cliente. Oirá la conversación dos veces. Después, seleccione la opción correcta, a), b) o c), para cada pregunta, 20-25.

PREGUNTAS

20. El señor pide información para:
- **a)** Aprender a jugar al tenis.
- **b)** Saber qué actividades puede practicar su familia.
- **c)** Ir a la piscina con su familia.

21. Según la conversación, el polideportivo:
- **a)** Está abierto todo el día.
- **b)** Cierra al mediodía.
- **c)** No abre los días de fiesta.

22. El problema del tenis es que:
- **a)** Solo hay una pista.
- **b)** Hay que reservar la pista.
- **c)** No hay profesores.

23. Para la mujer del señor el mejor momento para nadar es:
- **a)** Por la mañana.
- **b)** Por la tarde.
- **c)** A mediodía.

24. Deporte que puede practicar el hijo del señor:

a)

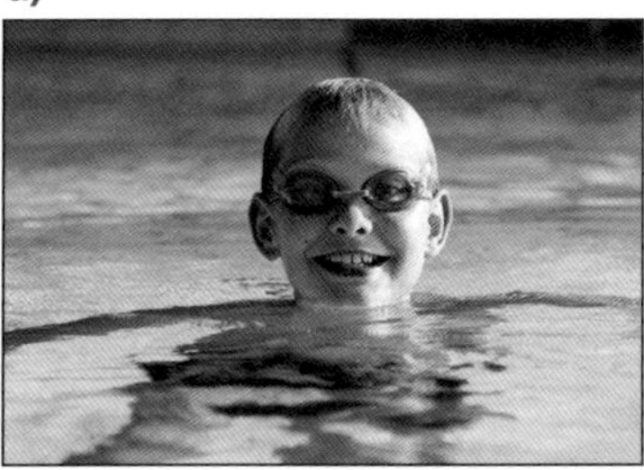

b)

c)

25. La señora le dice al señor que:
- **a)** Por la noche no se puede jugar al tenis.
- **b)** Los niños y los adultos pagan igual.
- **c)** Si se compran diez entradas juntas, es más barato.

TAREA 5

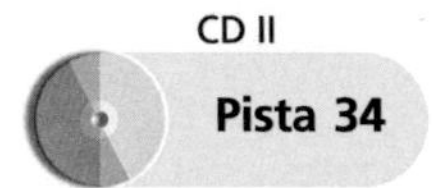

A continuación escuchará una conversación entre dos compañeros de trabajo. Oirá la conversación dos veces. Después, seleccione la imagen, a)-h), que corresponde a cada enunciado, 26-30. Tiene que seleccionar cinco imágenes.

	ENUNCIADOS	IMAGEN
26.	Lo que está haciendo Guillermo.	
27.	Lo que más le gustó a Marta de México.	
28.	Dónde estaba el hotel de Marta.	
29.	Adónde quiere ir Marta.	
30.	Qué deporte quiere practicar Marta.	

a)

b)

c)

d)

e)

f)

g)

h)

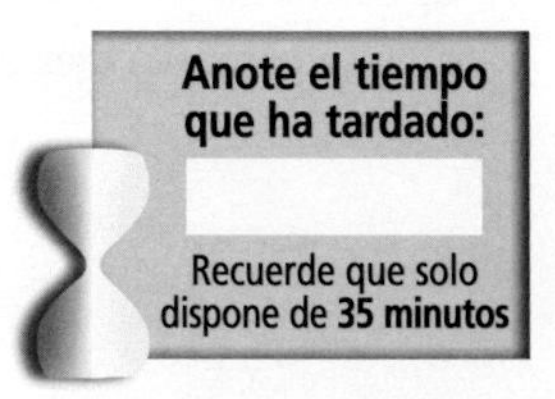

Sugerencias para los textos orales y escritos

APUNTES DE GRAMÁTICA

- Para valorar una actividad pasada usamos:
- Pretérito perfecto si la actividad se ha realizado en un tiempo que no ha terminado aún o está muy cerca del presente: *Esta tarde he visto una película que me ha encantado.*
- Pretérito perfecto simple si la actividad se realizó en un tiempo pasado acabado: *La exposición que vimos ayer fue muy interesante.*
- Para describir un lugar, un museo, etc., usamos el pretérito imperfecto: *La ciudad era muy grande. La película era muy interesante.*
- Para hablar de planes e intenciones usamos *ir a* + infinitivo: *El domingo voy a ir a bailar.*
- Para hablar de la causa usamos *porque*: *Me gustó mucho porque fue un viaje diferente.*

HABLAR DEL CONOCIMIENTO/ DESCONOCIMIENTO

- ☐ *¿Sabes...?/¿Conoces...?*
- ☐ Sé *bastante/un poco* de...
- ☐ Sé que...
- ☐ Conozco algo sobre...
- ☐ No sé mucho *de/sobre*...

PEDIR Y DAR OPINIÓN

- ☐ ¿Crees que...?
- ☐ ¿Qué tal...?
- ☐ Opinión + *¿y a ti?*
- ☐ Para mí...
- ☐ Creo que...

VALORAR

- ☐ ¡Qué bien *canta/actúa*!
- ☐ No es nada *interesante/divertido*...
- ☐ (No) Está *bien/mal*.
- ☐ ¡Estupendo!
- ☐ ¡Perfecto!

PRUEBA 3

Expresión e interacción escritas

Tiempo disponible para toda la prueba.

TAREA 1

Usted quiere participar en el foro del espectador para hablar de su programa favorito. Escriba un mensaje en el foro. En él debe:

- Decir el nombre del programa y de qué trata.
- Explicar en qué canal y a qué hora lo ponen.
- Contar por qué le gusta tanto y recomendarlo a todos los lectores.

Número de palabras: entre 30 y 40.

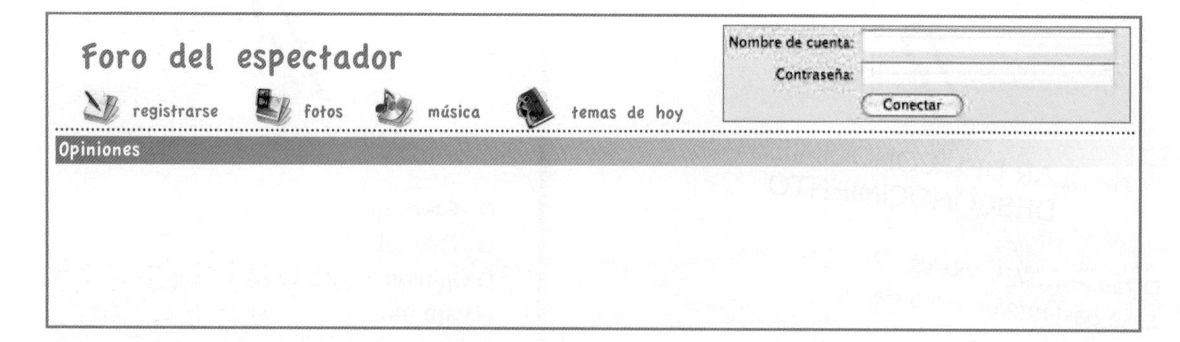

TAREA 2

Usted ha vuelto de un viaje y quiere quedar con una amiga para contárselo. Escriba un correo electrónico a su amiga. En él debe:

- Explicarle que ha vuelto ya de su viaje.
- Proponerle salir un día para hablarle de su viaje.
- Preguntarle por el lugar y momento para quedar.

No olvide saludar y despedirse.
Número de palabras: entre 70 y 80.

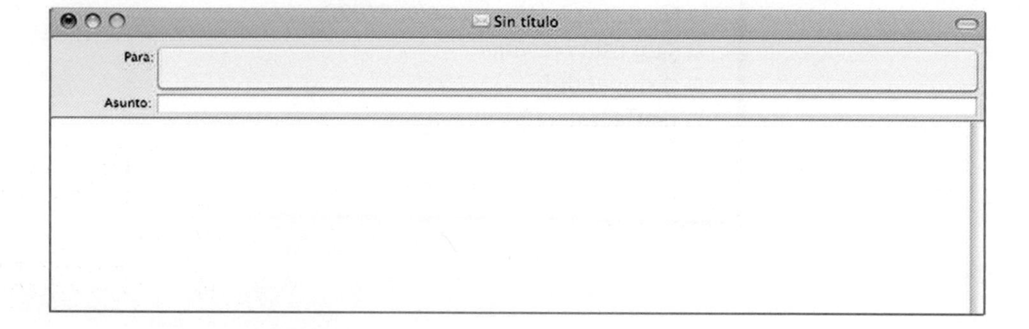

TAREA 3

Aquí tiene las fotos de un viaje que hizo el mes pasado. Escriba un texto para su blog de Internet. En él tiene que contar:

- Cómo era el lugar adonde fue y qué había en él.
- Con quién fue.
- Qué hizo en aquel lugar.

Número de palabras: entre 70 y 80.

Mi viaje

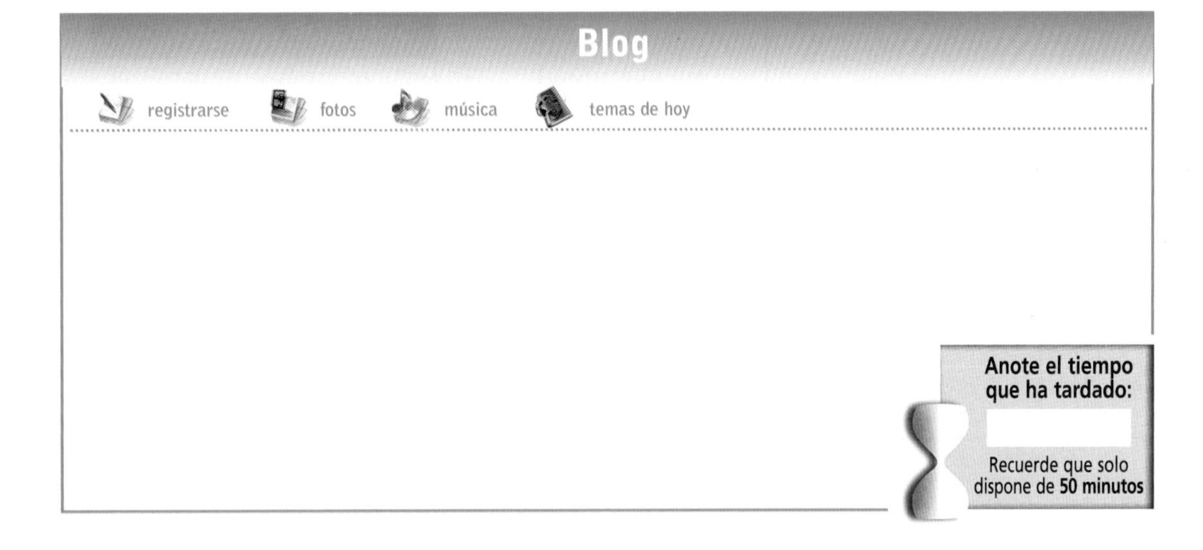

PRUEBA 4

Expresión e interacción orales

Tiempo de preparación de la prueba.

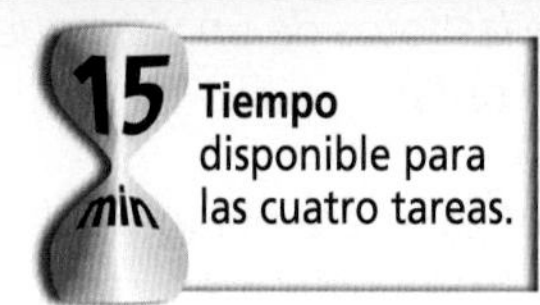

Tiempo disponible para las cuatro tareas.

TAREA 1

EXPOSICIÓN DE UN TEMA: MONÓLOGO

Usted tiene que hablar ante el entrevistador sobre actividades de ocio durante 3 o 4 minutos. Elija uno de los aspectos que se le proponen.

ACTIVIDADES DE OCIO

Viajar

- En general, ¿prefiere viajar por su país o salir al extranjero?
- ¿Prefiere viajar solo o con amigos?
- ¿Ha hecho algún «viaje de aventura»? ¿Qué tal?
- ¿Ha tenido alguna mala experiencia en un viaje?
- ¿Qué lugares del mundo quiere visitar?

Disfrutar la naturaleza

- ¿Qué le gusta más, la playa o la montaña?
- ¿Qué actividades hace cuando va a estos lugares?
- ¿Prefiere ir solo o con alguien?
- ¿Qué tipo de alojamiento prefiere, hotel o *camping*? ¿Por qué?

Ver la televisión

- ¿Ve mucho la televisión?
- ¿Cuántas horas al día aproximadamente?
- ¿Cuáles son sus programas favoritos?
- ¿Cree que la televisión de su país ofrece programación de calidad?
- ¿Ve la televisión local o ve canales internacionales a través de la antena parabólica?
- ¿La gente, en su país, ve mucha televisión?

Salir con amigos

- ¿Cuándo se sale en su país: el viernes, el sábado...? ¿Hasta qué hora?
- ¿Hay mucha vida nocturna en su ciudad?
- Cuando sale con sus amigos, ¿adónde va: discotecas, restaurantes, de copas...?
- En su país, ¿es caro salir a cenar, al cine, etc.?

Actividades culturales

- En su ciudad, ¿hay mucha oferta cultural?
- ¿Qué tipo de actividad cultural prefiere: museos, conciertos, exposiciones...?
- ¿Son caras este tipo de actividades en su ciudad?
- ¿Va solo o con amigos?

TAREA 2

DESCRIPCIÓN DE UNA FOTO

Usted tiene que describir la siguiente fotografía durante 2 o 3 minutos.

Ejemplos de preguntas para la descripción

- ¿Quiénes son las personas de la foto? ¿Dónde están?
- ¿Cómo son? ¿Cómo van vestidos?
- ¿De qué cree que están hablando?
- ¿Cómo es el lugar? Descríbalo.

TAREA 3

SIMULACIÓN: DIÁLOGO CON EL ENTREVISTADOR

Imagine que está usted en una agencia de viajes porque quiere planificar sus vacaciones. Hable con el empleado de la agencia durante 2 o 3 minutos sobre el viaje que le interesa.

Modelo de conversación

1. Inicio

EXAMINADOR:
Hola, *buenos días/buenas tardes.*
CANDIDATO:
Hola...
EXAMINADOR:
¿En qué puedo ayudarlo/la?
CANDIDATO:
Quiero información sobre...

2. Fase de desarrollo

EXAMINADOR:
¿Qué tipo de viaje quiere? ¿Un viaje al extranjero o local?
CANDIDATO:
Prefiero...
EXAMINADOR: *explicar qué ofertas hay.*
Pues tenemos estas ofertas...
CANDIDATO:
Pues me interesa...
EXAMINADOR:
¿Cuánto tiempo...? ¿En qué fechas?
CANDIDATO:
...
EXAMINADOR:
Para esas fechas solo tenemos...
CANDIDATO: *elegir una de las respuestas.*
Entonces...

3. Despedida y cierre

EXAMINADOR:
Muy bien. Aquí tiene su reserva.
CANDIDATO: *dar las gracias y despedirse.*
...

TAREA 4

SIMULACIÓN: CONVERSACIÓN CON EL ENTREVISTADOR

Usted deberá conversar con el entrevistador durante 3 o 4 minutos según la información que hay en su ficha.

FICHA A: EXAMINADOR

Usted va a hacer un viaje con un amigo y prefiere viajar con una agencia. Su amigo piensa que es mejor viajar por su cuenta.

Debe:

1. Decir a su amigo que prefiere viajar con una agencia.
2. Explicar por qué prefiere un viaje organizado.

☺ VIAJAR CON UNA AGENCIA	☹ VIAJAR SOLOS
- Más cómodo: todo está organizado. - Más seguro: conocen bien el país. - Buenas ofertas: más barato. - Vamos con un guía que conoce bien el lugar.	- Más incómodo y difícil: tenemos que organizarlo todo nosotros. - Más peligroso: no sabemos dónde podemos ir con seguridad. - No sabemos todo lo que hay que ver. - A veces no es posible ver todo.

3. Llegar a un acuerdo con su amigo.

FICHA B: CANDIDATO

Usted va a hacer un viaje con un amigo y piensa que es mejor viajar por su cuenta. Su amigo prefiere viajar con una agencia.

Debe:

1. Decir a su amigo que es mejor viajar solos.
2. Explicar por qué es mejor.

☺ VIAJAR SOLOS	☹ VIAJAR CON UNA AGENCIA
- Más divertido: es una aventura. - Más libertad: hacemos lo que queremos. - Podemos conocer gente interesante. - Visitamos solo lo que queremos.	- Tenemos que hacer lo que nos dicen y seguir un programa. - A veces no es posible conocer a la gente del país. - Puede ser más caro.

3. Llegar a un acuerdo con su amigo.

PAUTAS PARA LOS EXÁMENES

PRUEBA 1  Comprensión de lectura

Esta prueba tiene cinco tareas:

Tarea 1: Hay **diez textos cortos** de normas, avisos o instrucciones, como los que podemos encontrar en lugares públicos, instrucciones de productos, etiquetas, etc., y **siete enunciados** que expresan de otra forma algo dicho en el anuncio. Hay que relacionar cada enunciado con un texto. Hay tres textos que no corresponden a ningún enunciado. Uno de los ejemplos está resuelto en el examen. (Aquí te damos solo algunos ejemplos).

Tarea 2: Una **carta** o **correo electrónico** con **cinco preguntas de opción múltiple**. Dos preguntas son de comprensión general del texto y las otras tres, de cosas más específicas.

Tarea 3: **Seis anuncios** con **una pregunta de opción múltiple** cada uno. (Aquí te damos solo algunos ejemplos).

Tarea 4: **Diez textos** sobre un mismo tema que hay que relacionar con **siete enunciados**. Hay tres textos que no corresponden a ningún enunciado. Uno de los ejemplos está resuelto en el examen.

Tarea 5: Una **noticia** con **seis preguntas de opción múltiple**. Dos preguntas se refieren a la idea general del texto y el resto, a cosas más específicas.

En esta sección de Pautas para los exámenes no damos resuelto el primer ítem, como aparece en los exámenes. Aquí te damos la instrucción del ejercicio tal y como aparece en el examen real.

TAREA 1

*Lea los siete enunciados y los diez textos. Seleccione el texto, a)-j), que corresponde a cada enunciado (1-7). Hay diez textos, incluido el ejemplo. Seleccione siete. Marque las opciones elegidas en la **Hoja de respuestas.***

	ENUNCIADOS	TEXTO
0.	No se puede llamar por la mañana.	
1.	Van a trabajar más días.	
2.	No es posible pagar en efectivo.	
3.	Los niños no pueden usarla.	
4.	Ahora trabaja en otro lugar.	
5.	...	

TEXTOS

a)

EMPRESA DE TRANSPORTE MUNICIPAL

SELECCIONE SU BILLETE

METROBÚS 1 VIAJE

METROBÚS 10 VIAJES

ABONO TRANSPORTE ZONAS A, B Y C

Atención: Esta máquina solo admite pago con tarjeta.

Corresponde al **enunciado 2**. El texto dice que *solo admite pago con tarjeta*, es decir, no se puede pagar en efectivo.

b)

AVISO
SE RECUERDA A LOS USUARIOS QUE ESTÁ COMPLETAMENTE PROHIBIDA LA ENTRADA Y UTILIZACIÓN DE LA PISCINA OLÍMPICA A LOS MENORES DE 12 AÑOS.
GRACIAS.

Corresponde al **enunciado 3**. El texto dice que *está prohibida la entrada y utilización a menores de 12 años*, es decir, no la pueden usar los niños.

c)

100% algodón.
Tintado a mano.
Precauciones de lavado:
Lavar a mano, en agua fría y con detergente neutro.

No corresponde a **ningún enunciado**.

d)

He perdido un abono transporte B1 a nombre de José Gutiérrez Gálvez.
Si lo has encontrado, déjalo en recepción o llámame al teléfono 912345431.
(solo tardes a partir de las 19:00 h).

Corresponde al **enunciado 0**. Dice *solo tardes*, es decir, no se puede llamar por las mañanas.

e)

AYUNTAMIENTO DE NAVALEÓN
OFICINA DE ATENCIÓN AL CIUDADANO
A partir del próximo mes de enero nuestra oficina abrirá al público también los sábados por la mañana.
Gracias.

Corresponde al **enunciado 1**. Dice que *la oficina abrirá también los sábados*, es decir, más días que antes.

f)

Doctor Guillermo Suárez
Medicina general

Aviso a nuestros pacientes

A partir del 1 de septiembre, la consulta del Dr. Suárez se traslada al número 2 de esta misma calle. Piso 3.º.
Disculpen las molestias.

Corresponde al **enunciado 4**. Dice el texto que *la consulta… se traslada al n.º 2*, es decir, que trabaja en otro lugar.

TAREA 2

Lea el correo electrónico que Diana ha escrito a Carlos. A continuación, responda a las preguntas, 8-12. Elija la respuesta correcta, a), b) o c). Marque las opciones elegidas en la ***Hoja de respuestas.***

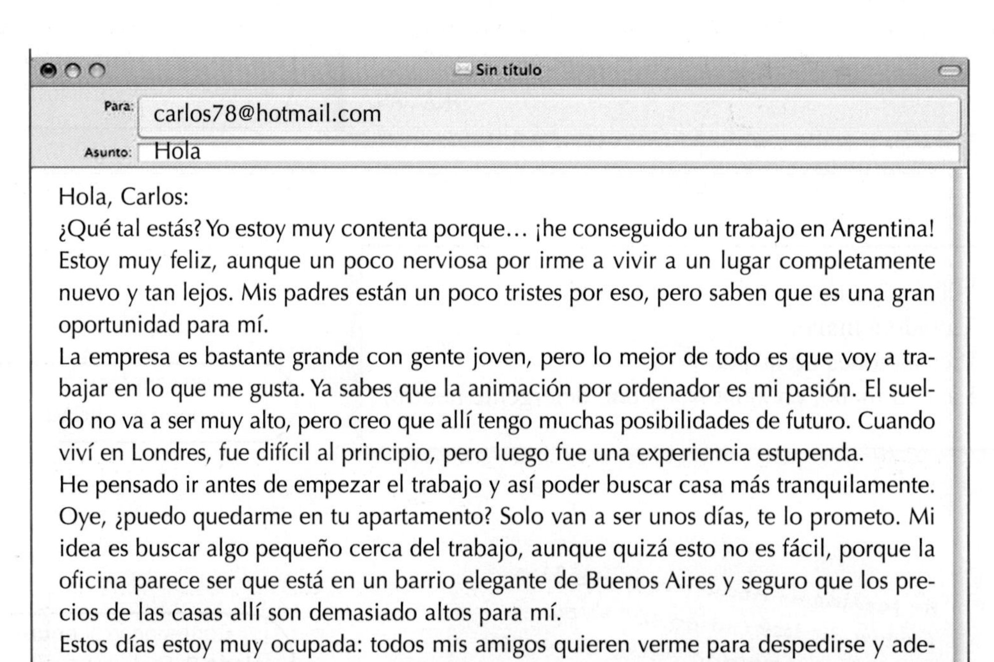
Sin título

Para: carlos78@hotmail.com

Asunto: Hola

Hola, Carlos:

¿Qué tal estás? Yo estoy muy contenta porque... ¡he conseguido un trabajo en Argentina! Estoy muy feliz, aunque un poco nerviosa por irme a vivir a un lugar completamente nuevo y tan lejos. Mis padres están un poco tristes por eso, pero saben que es una gran oportunidad para mí.

La empresa es bastante grande con gente joven, pero lo mejor de todo es que voy a trabajar en lo que me gusta. Ya sabes que la animación por ordenador es mi pasión. El sueldo no va a ser muy alto, pero creo que allí tengo muchas posibilidades de futuro. Cuando viví en Londres, fue difícil al principio, pero luego fue una experiencia estupenda.

He pensado ir antes de empezar el trabajo y así poder buscar casa más tranquilamente. Oye, ¿puedo quedarme en tu apartamento? Solo van a ser unos días, te lo prometo. Mi idea es buscar algo pequeño cerca del trabajo, aunque quizá esto no es fácil, porque la oficina parece ser que está en un barrio elegante de Buenos Aires y seguro que los precios de las casas allí son demasiado altos para mí.

Estos días estoy muy ocupada: todos mis amigos quieren verme para despedirse y además tengo mil cosas que preparar antes del viaje: ayer fui a recoger el pasaporte, hoy he sacado el billete y mañana tengo que ir de compras: necesito...

PREGUNTAS

8. Diana escribe a Carlos para:

a) Informarle que va a cambiar de trabajo.
b) Pedirle un favor.
c) Saber si es fácil encontrar casa en B. Aires.

9. Según el texto, Diana:

a) Ha estado ya en Argentina.
b) Es la primera vez que va a vivir en el extranjero.
c) No ha estado nunca en Argentina.

10. Los padres no están contentos porque:

a) Se va a vivir lejos.
b) Va a ganar poco dinero.
c) No es un buen trabajo.

11. Piensa que las viviendas cerca de la oficina:

a) Van a ser caras.
b) Son pequeñas.
c) Van a ser baratas.

12. En el correo, Diana dice que:

a) Ya ha preparado todas las cosas relacionadas con el viaje.
b) Todavía no ha preparado nada para el viaje.
c) Necesita hacer algunas cosas antes de viajar.

PISTAS

En la pregunta **8**, la opción correcta es **b**. El motivo principal del correo es pedir a Carlos su apartamento para quedarse unos días, es decir, pedirle un favor.
En la pregunta **9**, la opción correcta es **c**. Diana habla de un lugar completamente nuevo, es decir, nunca ha estado en Argentina. También comenta sobre su experiencia en Londres, eso significa que ya ha vivido en el extranjero.
En la pregunta **10**, la opción correcta es **a**. En el texto se dice que se va a vivir lejos e inmediatamente después dice que sus padres están tristes por eso.
En la pregunta **11**, la opción correcta es **a**. Diana dice que la oficina está en una zona elegante y piensa que los precios van a ser altos, es decir, caros.
En la pregunta **12**, la opción correcta es **c**. Diana dice que ya ha hecho algunas cosas (el pasaporte, el billete), pero todavía tiene que hacer otras (ir de compras).

TAREA 3

*Lea los seis anuncios. A continuación, responda a las preguntas, 13-18. Seleccione la opción correcta, a), b) o c). Marque las opciones elegidas en la **Hoja de respuestas.***

Texto 1

Tarjeta telefónica APS de Telered

- Mejor calidad con tarifas más bajas para llamar desde el teléfono fijo o desde el móvil.
- Llamadas gratuitas a los móviles de Telered.

De venta en quioscos y estancos.
Ahora, si compra su APS en www.telered.es, paga un 10 % menos.
Tenemos continuas ofertas para llamadas nacionales e internacionales.

13. Este anuncio dice que:
a) Con esta tarjeta no pago las llamadas a ningún móvil.
b) Esta tarjeta solo sirve dentro del país.
c) Si compro esta tarjeta por Internet, es más barata.

Texto 2

MEGADEPOR

Las mejores marcas, a los mejores precios.

- Todo para el deporte.
- Ropa y calzado deportivo.
- Para hombre, mujer y niño.

Grandes descuentos en los productos de la temporada otoño-invierno.

OFERTA ESPECIAL DE INVIERNO
(del lunes 1 de diciembre hasta el domingo 7 de diciembre)
Por compras superiores a 40 € regalamos DVD con ejercicios de Pilates*
*oferta válida hasta fin de existencias.

14. Según el anuncio, regalan un DVD:

a) Siempre.
b) Solo durante una semana.
c) En la temporada de invierno.

Texto 3

Editorial Quásar presenta
su nueva colección dedicada a la literatura de viajes:

Viajeros y aventureros

Cada libro tiene una introducción de Adolfo Rodríguez, catedrático de Historia de la Universidad Libre, más de 50 fotos a todo color y un mapa detallado de la ruta del viajero.

Oferta de lanzamiento: llévese los tres primeros números por solo 15 €.

15. El anuncio dice que:

a) El autor de los libros es Adolfo Rodríguez.
b) Me regalan un mapa si compro uno de los libros.
c) Si compro tres libros juntos, es más barato.

Texto 4

COLETOUR

Especialistas en organizar viajes y excursiones para colegios.
Paquete: *Grupos Escolares* (4 días, 3 noches)
Incluye:

- 4 días/3 noches en hotel en la playa de Punta Umbría.
- Pensión completa (*picnic* durante las actividades).
- Todos los traslados.
- Rutas y visitas guiadas: Sevilla, Riotinto, Aracena y Doñana.
- Un profesor por cada clase de 30 alumnos.

16. Este anuncio dice que:

a) Los profesores no pagan.
b) El transporte va incluido en el precio.
c) Se hacen todas las comidas en el hotel.

PISTAS

En la pregunta **13** la opción correcta es **c**. El anuncio dice que si compras en www.telered.es (Internet), pagas un 10% menos.
En la pregunta **14** la opción correcta es **b**. Dice que la oferta es solo *desde el lunes 1 hasta el domingo 7*, es decir, durante una semana.
En la pregunta **15**, la opción correcta es **c**. Si compro tres números (libros de una colección) juntos, pago solo 15 €.
En la pregunta **16**, la opción correcta es **b**. El texto dice que incluye *todos los traslados*, con lo cual el transporte va incluido en el precio.

TAREA 4

Lea los siete enunciados y los diez textos sobre el horóscopo chino. A continuación, seleccione el texto, a)-j), que corresponde a cada enunciado, 19-24. Hay diez textos, incluido el ejemplo. Seleccione seis. Marque las opciones elegidas en la ***Hoja de respuestas.***

	ENUNCIADOS	TEXTO
19.	Durante el año su suerte va a cambiar.	
20.	Puede tener problemas de dinero.	
21.	Va a tener problemas en el trabajo.	
22.	Su carácter va a ayudarle.	
23.	Es un buen año para estudiar idiomas.	
24.	Ha sido egoísta con su familia y amigos.	

a) **Perro**
Tu espíritu de independencia puede traerte problemas con tu jefe y tus compañeros. Si no cambias tu actitud, puedes tener serias dificultades en este campo.

b) **Dragón**
Va a ser un año positivo en lo personal y lo profesional si aprovechas las oportunidades que te dan las estrellas.

c) **Mono**
Los problemas van a seguir un año más, pero también van a presentarse interesantes oportunidades: no las dejes pasar. Tu suerte está en tus manos.

d) **Cabra**
Este año vas a descubrir la importancia de la gente más cercana. Piensa que no has sido suficientemente generoso con ellos y que debes cambiar.

e) **Caballo**
Vas a mejorar tu imagen personal y vas a conseguir la admiración general.
Si quieres tener un año perfecto, confía en ti mismo.

f) **Serpiente**
Este año tus estrellas no son muy favorables, especialmente desde el punto de vista económico. Debes reducir tus gastos si no quieres tener problemas.

g) **Gallo**
El año pasado no fue bueno para ti, y este año tampoco va a empezar muy bien. Pero a mitad del año va a haber un cambio total.

h) **Gato**
Eres realista, ordenado y trabajador y eso te va a traer suerte especialmente en el tema económico. Vas a tener mucha suerte en el campo financiero y profesional.

i) **Tigre**
Este año es muy positivo para ti. Vas a encontrar muchas oportunidades sin buscarlas: quizá van a subir tu salario sin tú pedirlo o la persona con quien sueñas te va a llamar.

j) **Búfalo**
Este año es excelente para abrir tu mente a cosas nuevas. Si quieres aprender una lengua extranjera, este es el momento ideal para hacerlo.

PISTAS

El texto **a** corresponde al **enunciado 21**. Habla de problemas con el jefe y los compañeros, es decir, en el trabajo.
El texto **b** no corresponde a **ningún enunciado**.
El texto **c** no corresponde a **ningún enunciado**.
El texto **d** corresponde al **enunciado 24**. Dice que no ha sido generoso con la gente más cercana, es decir, ha sido egoísta con su familia y amigos.
El texto **e** no corresponde a **ningún enunciado**.
El texto **f** corresponde al **enunciado 20**. Habla de posibles problemas económicos, es decir, de dinero.
El texto **g** corresponde al **enunciado 29**. Dice que el año tampoco va a empezar bien, es decir, mal, pero que luego va a haber un cambio total, es decir, su suerte va a cambiar.
El texto **h** corresponde al **enunciado 22**. Dice que es realista, ordenado y trabajador, es decir, define su carácter, y luego dice que eso le va a traer suerte, es decir, le va a ayudar.
El texto **i** no corresponde a **ningún enunciado**.
El texto **j** corresponde al **enunciado 23**. Habla de aprender una lengua extranjera, o sea, un idioma.

TAREA 5

Va a leer un texto sobre Twitter. A continuación, conteste a las preguntas, 25-30. Seleccione la opción correcta, a), b) o c). Marque las opciones en la ***Hoja de respuestas.***

TWITTER Y EL MUNDIAL DE FÚTBOL

El de 2010 fue el primer Mundial de Fútbol que se pudo seguir con Twitter. Es verdad que en 2006 ya existía, pero nadie lo usaba, excepto para jugar a Dungeons&Dragons.

Cuando llegó la fiebre mundialista, Twitter se llenó de noticias y comentarios, penas y alegrías. Ya se vio durante los Óscar del mismo año: era posible ampliar en cada momento la información que veíamos en la TV, con cientos de comentarios en Twitter de cada película, actor o actriz.

Los tiempos de los espectadores solitarios delante de una televisión han terminado para siempre. Ahora podemos compartir nuestras aficiones en tiempo real. Podemos ser nuestros propios comentaristas y vivir el fútbol, el tenis o cualquier otro deporte como nunca antes.

A continuación te damos unos consejos para disfrutar de las competiciones deportivas a través de Twitter:

- No olvides que no todas las personas que leen tus comentarios son tan aficionadas al fútbol, al tenis o al baloncesto como tú. La primera decisión que debes tomar es cuánto vas a escribir sobre el tema. Si normalmente escribes veinte tweets en el día y pasas a escribir quinientos tweets diarios relacionados con el deporte, probablemente muchas personas van a dejar de leer tus comentarios.
- Deja claro con qué equipo o jugador estás y da tu opinión. A todos nos interesa saber lo que piensa un argentino de su selección, o lo que Nadal hace bien desde el punto de vista de un español. Esto no significa no ver los errores que comete tu selección o tu jugador favorito. Además hay que explicar las opiniones. No seas imparcial, todos queremos leer a gente con pasión. Pero sé respetuoso con lo que escribes. Nadie quiere leer insultos o groserías.
- No olvides mencionar las fuentes de la información que das en Twitter. Cuando escribes algo basado en algo que escribió otra persona o medio de comunicación, di su nombre.
- El buscador de Twitter es muy bueno para encontrar información importante sobre cualquier tema, sobre todo los más actuales. Aunque no es muy bueno como archivo histórico, pero si algo está ocurriendo ahora mismo, este es el lugar para buscar.

Adaptado de varias fuentes

PREGUNTAS

25. El texto trata sobre:

a) Cómo usar Twitter durante una competición deportiva.
b) La historia de Twitter en los medios.
c) La influencia de Twitter en el deporte.

26. Según el texto:

a) Twitter es una herramienta que solo sirve para jugar.
b) Se puede usar Twitter para dar y recibir información.
c) Hasta 2006, esta red social no se usaba.

27. Durante los Óscar:

a) Los actores y actrices usaron Twitter.
b) Nadie vio la ceremonia. Prefirieron usar Twitter.
c) Twitter sirvió para tener más información.

28. Hay que escribir:

a) Solo si gana tu equipo o jugador favorito.

b) Muchos comentarios con información precisa.

c) No mucho más de lo que haces normalmente.

29. Los comentarios deben ser:

a) Sobre todos los equipos o jugadores que participan en la competición.

b) Únicamente sobre las cosas positivas de nuestro equipo o jugadores favoritos.

c) Respetuosos. No se deben usar palabras que pueden molestar a los lectores.

30. El buscador de Twitter:

a) Es más útil para conocer qué pasa ahora y no lo que sucedió en el pasado.

b) No es muy bueno para cosas relacionadas con el fútbol u otro deporte.

c) Era mucho mejor antes que ahora. Más eficaz.

PISTAS

En la pregunta **25** la opción correcta es **a**. La noticia explica principalmente cómo usar Twitter durante acontecimientos deportivos.
En la pregunta **26** la opción correcta es **b**. A lo largo del texto se dan explicaciones de cómo dar y recibir información.
En la pregunta **27** la opción correcta es **c**. Se dice que mientras se veía la ceremonia de los Óscar en televisión se recibían comentarios sobre actores, actrices y películas.
En la pregunta **28** la opción correcta es **c**. En el texto se aconseja no escribir demasiados comentarios porque entonces nadie los va a leer.
En la pregunta **29** la opción correcta es **c**. El texto dice que nadie quiere leer insultos o groserías.
En la pregunta **30** la opción correcta es **a**. El texto dice que el buscador es bueno para temas actuales, pero no como archivo histórico.

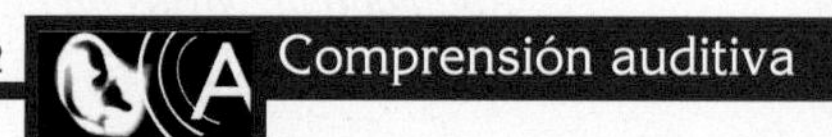

PRUEBA 2 Comprensión auditiva

Esta prueba tiene cinco tareas.
Tarea 1: Siete anuncios de radio (publicidad, información, anuncios...). Cada uno de ellos tiene **una pregunta de opción múltiple**. (Aquí te damos solo algunos ejemplos).
Tarea 2: Una **noticia de radio** de extensión media con **seis preguntas de opción múltiple**. Tienes 25 segundos para leer las preguntas. Algunas preguntas son de comprensión general del texto y otras de comprensión de aspectos más específicos.
Tarea 3: Siete mensajes de megafonía en tiendas o lugares públicos o **mensajes de contestador automático** que hay que relacionar con **diez enunciados**. Tienes 25 segundos para leer los enunciados. Hay tres mensajes que no corresponden a ningún enunciado. (Aquí te damos solo cuatro).
Tarea 4: Una **conversación telefónica** sobre cuestiones prácticas como horarios, fechas, precios... con **seis preguntas de opción múltiple**. Hay preguntas generales, para identificar el tema y otras específicas. Algunas preguntas están basadas en imágenes.
Tarea 5: Un diálogo informal sobre temas cotidianos (trabajo, estudios, actividades cotidianas, planes...). Hay **ocho imágenes** que hay que relacionar con **cinco enunciados**. Hay tres imágenes que no se corresponden con ningún enunciado.

CD II

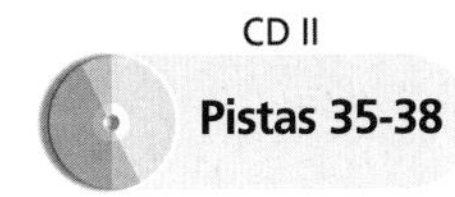

TAREA 1

Usted va a escuchar siete anuncios de radio. Los anuncios se repiten dos veces. Seleccione la opción correcta, a), b) o c). Marque las opciones elegidas en la ***Hoja de respuestas****. Ahora tiene 25 segundos para leer las preguntas.*

PREGUNTAS

1. Los profesores de este gimnasio:
- **a)** Ayudan a decidir qué deporte hacer.
- **b)** No son iguales que otros.
- **c)** Tienen una preparación especial.

La opción correcta es **a**. Dice que los profesores *te aconsejan qué actividad deportiva es mejor para ti.*

2. Esta agencia ofrece:
- **a)** Apartamentos en toda España.
- **b)** Viviendas junto al mar.
- **c)** Oficinas.

La opción correcta es **b**. El anuncio habla de *agencia especializada en casas, apartamentos y chalés en la costa.*

3. Este es un curso para:
- **a)** Aprender idiomas extranjeros.
- **b)** Trabajar como profesor en la universidad.
- **c)** Prepararse para trabajar en turismo.

La opción correcta es **c**. Se dice que *el curso tiene tres módulos (...)* que *te preparan para el examen oficial*. Y antes se ha hablado del «título de Guía Turístico».

4. El tiempo:
- **a)** Va a ser mejor el fin de semana.
- **b)** Ha sido bueno durante la semana pasada.
- **c)** Va a ser malo el fin de semana.

La opción correcta es **a**. Dice que *después de una semana de fuertes lluvias y frío (...), el fin de semana va a tener un ambiente primaveral y soleado (...).*

CD II

Pista 39

TAREA 2

Va a escuchar una noticia de radio. Escuchará la noticia dos veces. Seleccione la opción correcta, a), b) o c), para cada pregunta. Marque las opciones elegidas en la ***Hoja de respuestas.*** *Ahora tiene 25 segundos para leer las preguntas.*

PREGUNTAS

8. Esta noticia está dedicada:
- **a)** Al cine latinoamericano.
- **b)** A varias películas argentinas.
- **c)** A un festival de cine.

La opción correcta es **c**. Aunque se menciona el cine latinoamericano y varias películas argentinas, la noticia en general está dedicada al Festival de Málaga.

9. El Festival de Málaga:
- **a)** Ya ha terminado.
- **b)** Se está celebrando esta semana.
- **c)** Se va a celebrar próximamente.

La opción correcta es **a**. Toda la información está en pasado.

10. El Festival de Málaga:
- **a)** Es solo para cine español.
- **b)** Tiene una sección para películas de Latinoamérica.
- **c)** Está dedicado al cine latinoamericano.

La opción correcta es **b**. Se dice que *el Festival... es un certamen dedicado al cine español, pero cuenta con una sección especial para las producciones latinoamericanas.*

11. La película *El último verano de Boyita*:
a) Trata sobre un pueblo.
b) Ha ganado el premio a la mejor película.
c) Es de una directora argentina.

La opción correcta es **c**. Se habla de que *la argentina Julia Solomonoff fue elegida como mejor directora por esta película.*

12. Jorge Marrale:
a) Es un miembro del jurado.
b) Es un actor.
c) Es un director de cine.

La opción correcta es **b**. Se dice que recibió el premio de Mejor Actor.

13. *Los viajes del viento*:
a) Es una película nicaragüense.
b) Obtuvo un premio importante.
c) No está en español.

La opción correcta es **b**. La noticia dice que fue elegida como mejor película.

CD II

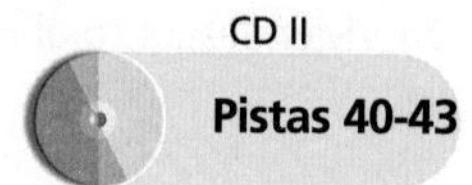

TAREA 3

Usted va a escuchar siete mensajes. Escuchará cada mensaje dos veces. Seleccione el enunciado, a)-j), que corresponde a cada mensaje, 14-19. Hay diez enunciados incluido el ejemplo. Seleccione seis. Marque las opciones elegidas en la **Hoja de respuestas.** *Ahora tiene 25 segundos para leer los enunciados.*

0.	Mensaje 1	
14.	Mensaje 2	
15.	Mensaje 3	
16.	Mensaje 4	
17.	Mensaje 5	
18.	Mensaje 6	
19.	Mensaje 7	

	ENUNCIADOS
a)	Van a visitarla.
b)	Ya no trabajan allí.
c)	La segunda es más barata.
d)	Van a ir otro día.
e)	Por la noche hay que llamar a otro teléfono.
f)	Hay que esperar al siguiente.

PISTAS

1-c. Se dice que *si compro dos camisas, la segunda tiene un 50% de descuento*, es decir, es más barata.
2-e. En el mensaje se dice que *para emergencias durante la noche o en fin de semana, hay que llamar al 913478912.*
3-a. La persona dice que quieren ir a verla.
4-f. Se dice que *el próximo tren no admite viajeros.*

CD II
Pista 44

TAREA 4

Usted va a escuchar una conversación telefónica entre dos personas. Escuchará la conversación dos veces. Lea las preguntas, 20-25, y seleccione la opción correcta, a), b) o c), para cada pregunta. Marque las opciones elegidas en la ***Hoja de respuestas.***

PREGUNTAS

20. La señora quiere ir al hotel:
- **a)** El próximo fin de semana.
- **b)** En abril.
- **c)** En verano.

> La opción correcta es **c**. La señora habla del primer fin de semana de julio, es decir, verano.

21. La señora va a viajar:
- **a)** Con dos personas.
- **b)** Con cuatro personas.
- **c)** Con cinco personas.

> La opción correcta es **b**. Quiere reservar una *suite* para tres personas y una habitación doble, es decir, son cinco personas.

22. En el hotel:
- **a)** No tienen habitaciones individuales.
- **b)** No hay habitaciones para el fin de semana que quiere la señora.
- **c)** Solo tienen *suites* para el fin de semana.

> La opción correcta es **a**. El recepcionista dice que no tienen individuales. *Son habitaciones dobles de uso individual.*

23. La señora:
- **a)** Cree que las habitaciones son muy baratas.
- **b)** Estuvo antes en ese hotel y pagó menos dinero.
- **c)** Piensa que el precio de las habitaciones es caro.

> La opción correcta es **c**. Cuando el recepcionista le dice el precio ella contesta: *¡Tanto!*, es decir, *tanto dinero*.

24. Hay que pagar:
- **a)** Todo el dinero antes de ir al hotel.
- **b)** Una parte del importe antes de ir.
- **c)** Al llegar al hotel.

> La opción correcta es **b**. El recepcionista le dice a la señora que *tiene que enviar 100 € (...) para la reserva*.

25. El hotel está junto a:

a)

b)

c)

> La opción correcta es **a**. El recepcionista dice que el hotel está *después del* camping *Los Pinos, justo al lado.*

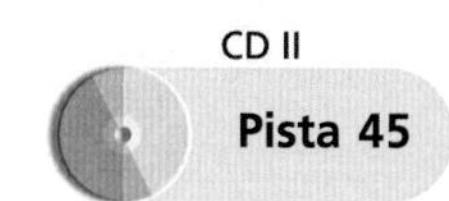

TAREA 5

Usted va a escuchar a dos personas hablando en la calle. Oirá la conversación dos veces. Seleccione la imagen, a)-h), que corresponde a cada enunciado 26-30. Hay ocho imágenes. Seleccione cinco. Marque las opiniones elegidas en la ***Hoja de respuestas.***

	ENUNCIADOS	IMAGEN
26.	Dónde están.	
27.	Lo que ya ha comprado Susana.	
28.	El tiempo que va a hacer en la playa.	
29.	Lo que lleva Ramón en la mano.	
30.	Dónde ha quedado Ramón.	

P I S T A S

26-g. La señora dice que está esperando el autobús.
27-c. La señora dice que fue ayer y compró una toalla de playa.
28-a. El hombre dice que en la costa va a hacer sol.
29-f. Dice el hombre que tiene que *devolverle estos libros. Estos* indica que lleva los libros en ese momento.
30-h. El hombre dice que ha quedado con Daniel en una terraza al lado del río.

a)

b)

c)

d)

e)

f)

g)

h)

PRUEBA 3 

Expresión e interacción escritas

Esta prueba tiene tres tareas:
Tarea 1: Debes escribir entre 30 y 40 palabras sobre temas básicos de la vida cotidiana: **completar formularios, hacer reservas, pedir información, describir lugares y objetos**, etc. Para ello te dan un contexto o situación y una serie de puntos sobre los que tienes que escribir.
Tarea 2: Hay que escribir entre 70 y 80 palabras intercambiando información personal a través de **correos electrónicos, postales, notas o cartas**. En la tarea te dan un texto de entrada y unos puntos sobre el contenido que debes desarrollar. No debes olvidar saludar y despedirte.
Recuerda:
Para saludar en una carta o correo electrónico formal: *Estimado señor:*
informal: *Querido...: Hola:*
¡Ojo! El saludo va seguido de dos puntos (:)
Para despedirse en una carta o correo electrónico formal: *Muchas gracias por su atención*
informal: *Un beso,*
¡Ojo! La despedida va seguida de coma (,)

Tarea 3: En esta tarea tienes que **redactar un texto descriptivo o narrativo** (entre 70 y 80 palabras) a partir de unas instrucciones y unas imágenes.

PRUEBA 4 

Expresión e interacción orales

Esta prueba tiene cuatro tareas. Tienes 15 minutos para prepararlas. Puedes tomar notas, pero luego, durante el examen, no puedes leerlas, solo consultarlas.

Tarea 1: **Monólogo.** Te van a dar varias opciones y debes elegir una de ellas. Después tienes que hablar, durante 3 o 4 minutos, sobre ese tema. Para preparar esta prueba tienes una ficha o lámina con ideas.
Tarea 2: **Descripción.** Tienes que describir, durante 2 o 3 minutos, una fotografía de un lugar público. La descripción tiene que ser muy detallada: el lugar, las personas que aparecen, la ropa u objetos que llevan, de qué pueden estar hablando, etc. Hay ejemplos de preguntas que te ayudarán en la descripción.
Tarea 3: **Entrevista.** Esta tarea está relacionada con la fotografía de la Tarea 2 y consiste en un diálogo de 2 o 3 minutos que puede suceder en el lugar de la fotografía. El examinador toma la parte del empleado y tú la del cliente. Tienes unas indicaciones en las que basarte.
Tarea 4: **Conversación.** Esta tarea consiste en una conversación informal de 2 o 3 minutos sobre un tema de la vida diaria (preferencias, gustos, intereses, planes, etc.). Tienes que conversar con el examinador según la información que tienes en la ficha que te dan. El examinador toma la postura contraria.

PISTAS CD-Audio

PRUEBA 2 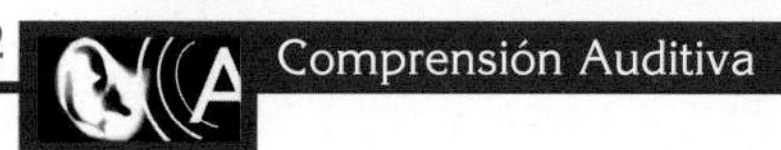

CD I		
Pistas 1-7	Examen 1	**Tarea 1**
Pista 8		**Tarea 2**
Pistas 9-15		**Tarea 3**
Pista 16		**Tarea 4**
Pista 17		**Tarea 5**
Pistas 18-24	Examen 2	**Tarea 1**
Pista 25		**Tarea 2**
Pistas 26-32		**Tarea 3**
Pista 33		**Tarea 4**
Pista 34		**Tarea 5**
Pistas 35-41	Examen 3	**Tarea 1**
Pista 42		**Tarea 2**
Pistas 43-49		**Tarea 3**
Pista 50		**Tarea 4**
Pista 51		**Tarea 5**
Pistas 52-58	Examen 4	**Tarea 1**
Pista 59		**Tarea 2**
Pistas 60-66		**Tarea 3**
Pista 67		**Tarea 4**
Pista 68		**Tarea 5**

CD II		
Pistas 1-7	Examen 5	**Tarea 1**
Pista 8		**Tarea 2**
Pistas 9-15		**Tarea 3**
Pista 16		**Tarea 4**
Pista 17		**Tarea 5**
Pistas 18-24	Examen 6	**Tarea 1**
Pista 25		**Tarea 2**
Pistas 26-32		**Tarea 3**
Pista 33		**Tarea 4**
Pista 34		**Tarea 5**
Pistas 35-38	Pautas para los exámenes	**Tarea 1**
Pista 39		**Tarea 2**
Pistas 40-43		**Tarea 3**
Pista 44		**Tarea 4**
Pista 45		**Tarea 5**